El Ministro como Pastor

Liderazgo pastoral según la Biblia

Charles E. Jefferson

El Ministro como Pastor fue publicado originalmente en inglés bajo el título **The Minister as Shepherd.**

El texto de esta reimpresión proviene de la publicación de 1912 por Thomas Y. Crowell Company en Nueva York. Estos discursos se emitieron originalmente como parte de las clases de George Shepherd sobre Predicación en el seminario Bangor Theological Seminary. La ortografía, lenguaje, gramática y puntuación han sido sutilmente actualizadas para el lector moderno.

EB-612
ISBN 978-1-959799-00-9

Editorial Bautista Independiente
3417 Kenilworth Blvd, Sebring, FL 33870
www.ebi-bmm.org
(863) 382-6350

Impreso en Colombia
Traducido por María del Carmen Atiaga González
Proyecto realizado en colaboración con Iglesia la Fuente (Quito, Ecuador).

Contenido

1

El Concepto del Pastor en las Escrituras y en la Historia

De todos los títulos que han sido designados para los enviados del Hijo de Dios, el de "pastor" es el más popular, el más hermoso y el más amplio. Obispo, presbítero, predicador, sacerdote, clérigo, rector, párroco, ministro, todos estos títulos se han utilizado por mucho tiempo y se siguen usando en la actualidad, pero ninguno de ellos es tan satisfactorio ni suficiente como "pastor".

El título de "obispo" fue introducido en la iglesia desde el mundo gentil y fue designado temprano para designar a un ministro con un grado especial, perdiendo así el rango de la aplicación que poseía anteriormente. En el sentido original de la palabra, obispo es quien supervisa y actúa como superintendente; por tanto, la cabeza de toda congregación podría llamarse correctamente un obispo. Pero, en las condiciones actuales, tal uso del término sería erróneo.

El nombre "presbítero" entró en la iglesia por medio del judaísmo. Debido a que los mundos tanto gentiles como judíos se reflejan en nuestro Nuevo Testamento, los presbíteros y los obispos aparecen unos junto a otros en sus páginas. En un inicio, obispo y presbítero eran títulos sinónimos, que pertenecían al mismo oficio. Sin embargo, con el paso del tiempo, los obispos de la iglesia local dejaron de utilizar la designación de "obispos", de modo que ese nombre fuera utilizado a partir de entonces solamente por los líderes de las diócesis o distritos. Presbítero fue el nombre que conservaron las autoridades de la congregación local, y conlleva la idea de la edad. Solo los hombres entrados en años podían ser ancianos en la iglesia judía. En la iglesia cristiana, la edad no es un requisito principal para el ministerio, ni tampoco una posesión esencial de quienes lideran. La palabra "anciano" no enfatiza aquello que es esencial en la obra cristiana; llama la atención a los años que un hombre ha vivido antes que al trabajo para el que ha sido llamado.

"Sacerdote" es un título prestado tanto del judaísmo como del paganismo, y a su alrededor se han agitado siglos de controversia. Muchos han contendido siempre que la idea del sacerdote es ajena a la religión cristiana y que llamar a la cabeza de una iglesia cristiana de esa manera es introducir un concepto que causa problemas. Es importante que tanto Jesús como sus apóstoles evitaron con cuidado esa palabra. Solo las sectas o ciertas secciones de la iglesia de Cristo la utilizan en la actualidad.

"Predicador" también es un título seccional que está confinado a las áreas limitadas del mundo cristiano, en el cual predicar se considera como la labor principal, si no la *única* orden divina de un embajador de Cristo. El uso de dicho título implica que la cabeza de una iglesia, en primer lugar, debe ser un orador, y que en el acto de comunicar él desempeña la función más gloriosa de su oficio. "Clérigo" es una designación un tanto espeluznante, que no fija la mente en la personalidad del hombre, sino en su oficio. "Rector" es para muchos un título repelente, puesto que magnifica la idea de gobernar y acarrea consigo las desagradables reminiscencias de la monarquía, cuando los líderes eclesiásticos de temperamento déspota se enseñoreaban con arrogancia sobre los santos de Dios.

"Párroco" es el título favorito de George Herbert y de muchos otros, pero en nuestro mundo moderno ha adquirido un tinte un tanto despreciable. Cuando los hombres hablan con ironía del ministro, usualmente lo llaman "párroco", con un acento familiar que trata con condescendencia y sonríe burlonamente. La palabra "párroco" en realidad se relaciona con la familia y en las épocas en que el representante de la iglesia era la única persona augusta e imperial en la parroquia, había cierta legitimidad en el título que se ha perdido desde entonces. En estos días democráticos en que el ministro ha bajado de su pedestal, usualmente es la reverencia burlona la que juega con el título de "párroco". Se ha convertido en una especie de broma.

"Ministro" es, en general, un título más amplio y adecuado que cualquiera de los siete mencionados anteriormente, pero tiene la desventaja de ser el mismo que utiliza el Estado para nombrar a sus funcionarios de alto rango. Cuando alguien habla de un "ministro", es imposible que, con esa sola palabra, el oyente decida si se trata de una referencia a un ministro de la iglesia o uno del gobierno. Una de las limitaciones del nombre es su ambigüedad, y otra es su inhabilidad para hacer una distinción. No distingue al líder de sus seguidores. No establece un límite entre el general y sus soldados. Es una palabra que pertenece a cada seguidor de Jesús. La servidumbre o el servicio es la esencia de la vida cristiana. Todos los creyentes son ministros o siervos. Hablar de "el ministro" es insinuar que solo hay uno, mientras que debería haber tantos ministros como miembros de la iglesia. Uno se podría preguntar en ocasiones si las tropas de nuestras iglesias quizá tuvieran un mayor celo para ministrarse mutuamente y a su comunidad, si el nombre "ministro" no hubiera sido monopolizado por un solo hombre. El uso exclusivo del título parecería justificar a los miembros indolentes de las iglesias en su hábito de considerar que el pastor es el único que tiene la obligación de trabajar en la congregación.

Pero cuando llegamos a "pastor", alcanzamos un título que no tiene mancha ni arruga ni nada por el estilo. Esta es una palabra que ha sido transmitida a través de los siglos sin que se pierda la riqueza de su significado, libre de manchas. Es el único título que es estimado y reverenciado en cada redil del gran rebaño de Cristo. En las comuniones griega, romana y anglicana, entre los luteranos, reformados y otras denominaciones cristianas de importancia, "pastor" es un nombre que no provoca ofensas. A Roma le gusta esa palabra. Sus sacerdotes que están a cargo de las iglesias son llamados "pastores". A la Iglesia de Inglaterra le gusta esa palabra, puesto que llama "pastores" a sus rectores. Las iglesias que usualmente llaman a sus líderes ministros y predicadores también los llaman "pastores"; no están dispuestas a apartarse de un título tan glorioso. Pastor es una palabra que se entiende en todo el mundo. En este título ancestral, la Iglesia de Cristo se une de hermosa manera. Así como la oración del Padre Nuestro y los Diez Mandamientos, es un tesoro que ningún grupo de creyentes está dispuesto a soltar. Las divisiones jamás han puesto sus manos en él. Muchas tradiciones preciosas han quedado en pedazos, pero esta permanece intacta. Cuando llegue el tiempo de la reunión de la cristiandad, y los hombres buenos comiencen a preguntar qué nombre debería otorgarse a aquellos siervos del Señor a quienes se les ha confiado la guía de las congregaciones locales, quién podría dudar que la palabra en la que todos estarían de acuerdo sería la misma que el Señor eligió para sí mismo cuando dijo: "Yo soy el Buen Pastor" (Juan 10:11-18).

Uno de los secretos de la fascinación del "pastor" como título es que la palabra nos lleva directamente a Cristo mismo. Nos asocia de inmediato con él. Hasta lo que nos dice el Nuevo Testamento, Jesús nunca se llamó a sí mismo sacerdote ni predicador ni rector ni clérigo ni obispo ni anciano, sino que le gustaba pensar en sí mismo como un pastor. La idea del pastor estaba con frecuencia en su mente. Cuando miró a las multitudes en Galilea, ellas le hicieron acuerdo de las ovejas que no tienen pastor. Les dijo a los hombres repetidamente que había sido enviado a reunir y salvar a las ovejas perdidas de la casa de Israel. El Señor consideraba ovejas a todos sus seguidores y, al mirar a la distancia, vio a otras ovejas que también eran suyas. "También tengo otras ovejas que no son de este redil; aquellas también debo traer, y oirán mi voz; y habrá un rebaño, y un pastor" (Juan 10:16). Cuando pensó de sí mismo en el mundo para venir sentado en un trono, con todas las naciones congregadas delante de él, incluso ahí todavía era un pastor que hacía lo que hacen los pastores.

Desde los inicios de la historia hebrea, la palabra pastor se había convertido en una metáfora. El cuidador literal de las ovejas era un personaje tan prominente en aquella época temprana que se convirtió en un tipo de los siervos más prominentes de Jehová, un símbolo para la expresión de los ideales sublimes del servicio. Esta palabra está rodeada de fragantes recuerdos, y los hombres le han otorgado significados excepcionales y preciados. Un sacerdote era llamado pastor; lo mismo sucedía con el profeta y después se llamó también así a un príncipe o a un rey. Todos los hombres que han estado en lugares de exaltación, a quienes se les ha confiado responsabilidades públicas, fueron coronados con el título "pastor". Tan bella era la figura y tan ricos sus contenidos que tarde o temprano alguien se atrevió a aplicarla incluso a Dios. Reyes y príncipes, sacerdotes y profetas aquí en la tierra eran pastores secundarios, mientras que en el cielo había un pastor sobre todos ellos: Jehová. Un genio poético enseñó a todos sus compatriotas a cantar: "Jehová es mi pastor; nada me faltará" (Salmo 23:1).

Cuando la nación cayó en dificultades y las calamidades la sobrepasaron, los santos gritaron: "Oh Pastor de Israel, escucha; Tú que pastoreas como a ovejas a José" (Salmo 80:1). Antes que los hombres se atrevieran a pensar en Dios como su Padre, lo llamaron su Pastor. El pastoreo divino fue uno de los escalones de la escalera ascendente por la que el mundo subió hacia la idea de la paternidad divina. Pero, aunque había un buen pastor en los cielos, no existía un buen pastor en la tierra. Todos los pastores de Israel, uno tras otro, demostraron ser una decepción. No cumplieron con su deber. No alimentaron al rebaño. No lo guiaron sabiamente. No podían salvarlo. Pero el corazón hebreo no cayó en la desesperación. Se atrevió a soñar en un pastor ideal que ciertamente vendría. Se les había prometido un Mesías, y él sería un pastor. Él guiaría, alimentaría y salvaría a las ovejas.

A través de muchas generaciones, esta figura del Pastor-Mesías revoloteaba ante las mentes de los videntes de Israel. Lo pintaron en colores que al final se fusionaron en la retina de los ojos de la nación. Cuando pintaban cuadros de malos pastores, siempre colgaban otra pintura, el retrato de un pastor que era bueno. Cuando deseaban criticar a un rey indigno o condenar a un sacerdote infiel, lo comparaban con el pastor que Dios había prometido. Era este retrato del buen pastor el que sustentaba el corazón de la nación. "Como pastor apacentará su rebaño; en su brazo llevará los corderos, y en su seno los llevará; pastoreará suavemente a las recién paridas" (Isaías 40:11).

De este modo contrastaban al Pastor-Mesías con los pastores que habían sido impacientes, egoístas y crueles. Fue a aquellos hombres cuyos ojos se llenaban con este bello cuadro y cuyos corazones se asombraban por esta emocionante expectación a quienes Jesús habló cuando dijo: "Yo soy el buen pastor. Ladrones y atracadores me han precedido, hombres que han cometido todas las abominaciones que Ezequiel, Zacarías y otros han narrado, pero yo soy el buen pastor. Conozco a cada oveja por nombre. Yo doy seguridad, libertad y sustento para todos. Yo entregaré mi vida por las ovejas". Jesús tenía muchas metáforas para ilustrar su carácter y su función, pero la metáfora mediante la cual le encantaba más pintar su retrato era la de "pastor".

Al elegir este título para sí mismo, también se lo otorgó al líder de los apóstoles. Pedro era un pescador y supuestamente entendía mejor el lenguaje inherente a los labios de un pescador, pero Jesús, en su encargo final al hijo de Jonás, utilizó solamente el vocabulario del redil. "Apacienta mis corderos. Pastorea mis ovejas. Apacienta mis ovejas" (Juan 21:15-17). En otras palabras: "Sé un pastor y haz la labor de un pastor". El gran pastor de las ovejas, al formular un encargo que él consideró suficiente para guiar y animar a los líderes de la iglesia cristiana hasta el fin de los tiempos, utilizó solamente el lenguaje de un pastor. La historia de la iglesia comienza cuando Jesús le dice al líder que está a la cabeza de la labor de discipular a las naciones: "Yo soy un pastor; tú también debes ser un pastor".

Pedro jamás olvidó lo que el Señor le dijo esa mañana a la orilla del mar. Como el Maestro, él miró de ahí en adelante a los hombres con los ojos de un pastor: "Porque vosotros erais como ovejas descarriadas", escribe a un grupo de sus convertidos, "pero ahora habéis vuelto al Pastor y Obispo de vuestras almas" (1 Pedro 2:25). Fue el buen pastor quien había encontrado a Pedro y le había dado su labor. Es el buen pastor, cuyo regreso espera el apóstol. El pastor supremo regresará, por tanto, Pedro escribe a los pastores de las iglesias: "Apacentad la grey de Dios que está entre vosotros, cuidando de ella, no por fuerza, sino voluntariamente; no por ganancia deshonesta, sino con ánimo pronto; no como teniendo señorío sobre los que están a vuestro cuidado, sino siendo ejemplos de la grey. Y cuando aparezca el Príncipe de los pastores, vosotros recibiréis la corona incorruptible de gloria" (1 Pedro 5:2-4). Pedro no realizó toda su labor bajo la revisión de un gran capataz, sino bajo la mirada delicada y amorosa del pastor cuyo deleite es buscar y salvar a los perdidos.

Pablo no fue uno de los doce apóstoles originales. Él nunca conoció a Jesús en la carne, pero recibió de él la idea del pastoreo en el Espíritu. Al igual que Pedro, a Pablo le encantaba pensar en sí mismo como un pastor. Él observaba a los hombres con la diligencia amorosa y el afecto minucioso de los ojos de un pastor. Cada iglesia era un rebaño para él, y los hombres a cargo de la congregación eran pastores. El apóstol se dirige a los dirigentes de la iglesia en Éfeso con el lenguaje de un pastor: "Por tanto, mirad por vosotros, y por todo el rebaño en que el Espíritu Santo os ha puesto por obispos, para apacentar la iglesia del Señor, la cual él ganó por su propia sangre.... En todo os he enseñado" (Hechos 20:28-29, 35).

Se podría decir, por tanto, que la idea del pastor influye en todo el mundo del Nuevo Testamento, para permear su atmósfera y fluir en su sangre. La generación de creyentes que fue moldeada por los apóstoles fue entrenada para pensar en Jesús como el Buen Pastor, y los líderes de la iglesia que recibieron la instrucción de Pedro y Pablo salieron como pastores para alimentar y apacentar a las ovejas de Cristo. Es una idea predominante de la era apostólica, que estalla en canción en la bendición más resonante de todo el Nuevo Testamento:

> Y el Dios de paz que resucitó de los muertos a nuestro Señor Jesucristo, el gran pastor de las ovejas, por la sangre del pacto eterno, os haga aptos en toda obra buena para que hagáis su voluntad, haciendo él en vosotros lo que es agradable delante de él por Jesucristo; al cual sea la gloria por los siglos de los siglos. Amén. (Hebreos 13:20-21).

Esta es la bendición que el Nuevo Testamento pronuncia sobre todos los obreros cristianos, y tiene una relevancia especial para los hombres que se están preparando para el servicio en el ministerio cristiano. Es a través del gran pastor de las ovejas que Dios perfecciona a los hombres para el cumplimiento de su voluntad. Es solamente al desarrollar en ellos la disposición de un pastor y al impartirles las destrezas de un pastor que el Señor los faculta para hacer lo que es agradable ante sus ojos. Si el objetivo de nuestra vida es ser semejantes a Cristo, entonces debemos ser como un pastor.

Si somos llamados a cumplir la misión de Cristo, entonces nuestra labor es la de un pastor. Si vamos a ser juzgados por Cristo, entonces la pauta del día del juicio debe ser el estándar de un pastor. Puesto que Cristo es la imagen de su Padre, en consecuencia, Dios mismo es un Dios pastor. Para glorificarlo debemos realizar la labor de pastor, y para disfrutarlo por la eternidad debemos tener el corazón de un pastor.

Es un hecho interesante que, cuando cerramos el Nuevo Testamento y buscamos libros creados por la era de los padres apostólicos, el primer volumen que tenemos a mano es un pequeño tratado, una especie similar al *Progreso del Peregrino* de Bunyan, "un libro que casi se ganó un lugar en el canon de nuestro Nuevo Testamento y que, por mucho tiempo, se leyó en las iglesias cristianas, se citó en los sermones cristianos y se expuso en libros cristianos, como si fuera parte de la auténtica Escritura": *El Pastor de Hermas*. Es un pequeño panfleto curioso, y todos se alegran ahora de que no tuviera éxito para establecerse en nuestra Biblia. Sin embargo, contiene mucho material sugerente, y una de sus características interesantes es que Hermas recibió su instrucción e inspiración de un pastor. Los eruditos nos dicen que, en la más antigua de las catacumbas, la figura cristiana favorita es la del pastor. Él está en la flor de la juventud, con un cayado o vara de pastor en una mano y, sobre su hombro, un cordero que sostiene cuidadosamente con la otra mano. A veces se lo representa con solo una oveja y en otras ocasiones con dos. Con frecuencia se ven varias ovejas a sus pies en diversas posiciones.

Era un pastor lo que estos creyentes de la iglesia primitiva les encantaba pintar en las paredes de sus capillas y oratorios, y cincelar en las tumbas de sus muertos. Grabaron la imagen del pastor en los cálices que utilizaban para el sacramento de la Última Cena. Lo trazaban en el oro de los vasos que usaban para beber en sus banquetes; lo moldeaban en las lámparas, lo grababan en anillos, lo pintaban en frescos sobre los muros de las cámaras mortuorias, lo grababan en tablas, lo esculpían en sarcófagos. Se encuentra en miles de tumbas. Fue el primer símbolo favorito de la vida y la fe cristiana. De esta manera, nos cercioramos de lo que pensaban los creyentes del segundo siglo sobre Jesús. Esta figura del pastor revela cómo lo consideraban en sus más profundas experiencias, de qué forma los consolaba en sus horas más solemnes. Era la ternura del pastor la que los aliviaba cuando se afligían. Era la valentía y la fuerza del pastor la que los sostenía en el día de la persecución y en la hora de la muerte.

El cristianismo era, en un principio, la religión del buen pastor. Para los hombres del segundo siglo, el Salvador del mundo era un cuidador de ovejas. Como afirma Dean Stanley:

> La bondad, la valentía, la gracia, el amor, la belleza del buen pastor era para ellos un libro de oraciones y estatutos, credo y cánones, todo en uno. Contemplaban esa figura y les expresaba todo lo que deseaban. Con el paso de los siglos, el buen pastor se desvaneció de la mente del mundo cristiano, y otros emblemas de la fe cristiana han tomado su lugar. En lugar del pastor gentil y misericordioso, llegó el Juez omnipotente, o el Sufridor crucificado, o el infante en los brazos de su madre, o el Maestro en su cena de despedida, o las figuras de innumerables santos y ángeles, o las exposiciones elaboradas de las diversas formas de controversias teológicas. Casi no existen alusiones al buen pastor en Atanasio o Jerónimo. Hay muy pocas menciones en la *Suma Teológica* de Tomás de Aquino, ninguna en el catecismo Tridentino, ninguna en los Treinta y Nueve Artículos, ninguna en la Confesión de Westminster.

Cuando los líderes de la iglesia comenzaron a perder la visión del buen pastor, al mismo tiempo empezaron a alejarse del ideal del Nuevo Testamento de servicio ministerial. Poco a poco engrandecieron su oficio de maneras que no fueron aprobadas por el buen pastor de las ovejas. Se hicieron sacerdotes que ofrecían un sacrificio carente de sangre, asumieron funciones de gobernantes, especializándose en la ley y la disciplina. Se degeneraron hasta volverse tiranos, estableciéndose como custodios exclusivos de la gracia de Dios, adjudicándose la soberanía, no solo sobre los reinos de este mundo, sino también sobre el vasto imperio de los muertos. La iglesia se extravió del camino que lleva a la vida tan pronto como los representantes del Hijo de Dios se olvidaron de que eran pastores. La oscuridad cayó sobre la tierra cuando el pastor fue absorbido por el sacerdote.

Pero cuando se asimila un ideal, este nunca se desvanece por completo de la mente del mundo. La iglesia nunca ha renunciado completamente a su creencia en Jesús como el Salvador Pastor, y nunca ha renunciado del todo a su sentir de que los ministros deben ser pastores de las ovejas. La idea del pastor posee algo que atrae al corazón universal. Aun en nuestro mundo occidental, en el que las máquinas y el comercio han manejado al pastor y a su rebaño, el más estimado de todos los Salmos sigue siendo el Salmo del Pastor. Los hombres y mujeres leen y estiman "Jehová es mi pastor, nada me faltará" más que cualquier otro poema del salterio. Millones que no han tenido experiencia con rediles, para quienes la oveja ha sido un animal casi desconocido, se han conmovido de manera extraña por el penetrante patetismo de la historia que contó Jesús sobre un pastor que salió a buscar a una oveja perdida. Ninguna canción cristiana se adentró más profundamente en el corazón del siglo XIX que: "Noventa y nueve ovejas, sí, en el aprisco están", como la cantó el señor Sankey por todo el mundo. Las congregaciones cantaban todos los domingos:

> Cristo, cual pastor, oh guía
> nuestros pasos en tu amor;
> Nuestras almas siempre cuida,
> guárdalas, oh, Salvador...

y también esto:

> Cansado del pecado,
> Buscome con amor;
> Me trajo al rebaño
> En hombros, el Señor…

y también esto:

> El Rey de amor es mi Pastor,
> su amor es verdadero;
> su amparo no me faltará,
> pues yo soy su cordero.

Tanto en las oraciones como en los himnos, la idea del pastor ha sido tejida inextricablemente. Multitudes de corazones encuentran alivio al hacer la confesión: "Hemos errado, y nos hemos extraviado de tus caminos como ovejas perdidas. Hemos seguido demasiado los designios y deseos de nuestro propio corazón".[1] El corazón devoto cae inconsciente en frases tales como: "Todos nosotros nos descarriamos como ovejas, cada cual se apartó por su camino; mas Jehová cargó en él el pecado de todos nosotros" (Isaías 53:6). El Espíritu en nuestro interior, que nos ayuda en nuestra debilidad, nos enseña a clamar: "¡Oh, gran pastor de las ovejas! ¡Guíanos, aliméntanos, protejanos cada vez más!".

Es necesario simplemente caminar por cualquiera de las grandes galerías europeas de pinturas para ver qué gran impresión ha causado la idea del pastor en la mente del artista. A los maestros del pincel siempre les ha encantado pintar a Jesús como un pastor. Cada vez que se exhibe ese cuadro, los ojos humanos

1 *El Libro de Oración Común* (Nueva York: The Church Pensión Fund, 1989), 243.

se sienten atraídos a él y los corazones humanos son ministrados por él. El corazón de un hombre es similar al corazón de una oveja: late cuando ve a su pastor.

La idea del pastor fue elaborada de manera profunda en la literatura cristiana. Ha moldeado, más de lo que pensamos, no solo el lenguaje, sino el pensamiento de la iglesia cristiana. ¿Acaso no hablamos de las epístolas pastorales? ¿Y no tenemos en todos los seminarios teológicos una cátedra de teología pastoral? ¿Y en nuestras ordenaciones no tenemos encargos pastorales? ¿No es acaso una de las más famosas encíclicas recientes del Papa una titulada "Apacentar la grey del Señor"? El concepto del pastor nos persigue, se aferra a nosotros, no nos suelta. Esta es obra del Señor y debería ser maravillosa ante nuestros ojos. Bendito el hombre que medita en su importancia y permite que le enseñe lo que tiene que decir.

Perdemos algo cuando confinamos el concepto de apacentar ovejas a los campos, mientras que encerramos la palabra "pastor" en la iglesia. Sabemos con nuestro intelecto que encierran ideas sinónimas, pero con frecuencia lo olvidamos con nuestros corazones. Sería de ayuda para nosotros decir ocasionalmente: "El Señor es mi pastor". Eso exaltaría el término "pastor" a una dignidad más alta y le otorgaría un significado más celestial. Disciplinaría y fortalecería a cada ministro de Cristo si de vez en cuando él se dijera a sí mismo: "Soy uno que pastorea". La auto-condenación llegaría a más de un pastor si su pueblo empezara, algún día, a hablar de él como "nuestro Pastor".

En una época como la presente existe el peligro de que se nuble el concepto de lo que es un pastor. Del mismo modo que la idea del pastor de ovejas fue tragada por la idea del sacerdote, causando que cayera una desgracia sobre la iglesia, también nos caería ciertamente una calamidad si la idea del pastor de ovejas es tragada por la del predicador. Un joven católico romano que pretende dedicarse al sacerdocio siempre anhela el momento en que pueda oficiar la misa. El día en que celebre su primera misa será un día especial en su vida. Un muchacho católico cree que el principal trabajo de un ministro de Cristo es oficiar una ceremonia para ofrecerle a Dios una hostia que se ha convertido de un modo inexplicable en el cuerpo del Hijo de Dios. Esa idea falsa desmoraliza y oscurece todo el mundo católico romano.

El joven protestante que pretende entrar en el ministerio anhela la hora de predicar su primer sermón. La fecha del evento es un día cardinal en su calendario. Los ministros protestantes hablan de su primer sermón hasta el final de sus vidas, tal como los sacerdotes católicos hablan en el ocaso de su existencia sobre su primera misa. Ambos hombres son semejantes porque ponen el énfasis supremo en su desempeño público, el uno en una ceremonia y el otro en un discurso. El uno hace del altar y el otro del púlpito el lugar santísimo de la iglesia cristiana. El uno piensa que el mundo alcanza la bendición cuando la hostia se convierte en el cuerpo de Cristo, el otro, que la humanidad es fomentada por su exposición de la vida y las ideas de Jesús. Ambos están equivocados.

El Nuevo Testamento no conoce ni el altar ni el púlpito. Los primeros ancianos y obispos no eran predicadores en nuestro sentido de la palabra, y fue solo después de muchas generaciones que la Cena del Señor se conoció como la misa. Los primeros obreros de las congregaciones locales, en los tiempos de los apóstoles, eran supervisores, superintendentes, guías, presbíteros, obispos, en otras palabras, pastores, apacentadores de las ovejas. La idea pastoral es más profunda que la del sacerdote o la del predicador, y también es más amplia. Sus contenidos son más ricos. Sacerdotes y predicadores empobrecen sus vidas y acortan su utilidad cuando no mantienen viva en sus corazones la idea de aquel que pastorea.

Muchos ministros denigran la noción pastoral, así como la mayoría de nuestras congregaciones. Nuestras iglesias protestantes buscan, en primer lugar, lo que ellos llaman un predicador, un hombre que sea un orador experto y que pueda atraer a un grupo de oyentes. ¡Quién jamás oyó de un hombre que fue llamado a una iglesia porque era bueno para pastorear! El estimado popular del servicio pastoral se evidencia también en la política adoptada por la iglesia al realizar su labor. Ningún hombre puede ser el pastor de más de algunos cientos de personas y, sin embargo, las iglesias aumentan su membresía a veces a mil, mientras se espera que un hombre realice todo el trabajo en la congregación. El resultado es que no puede hacer nada bien. Fracasa como pastor y, tarde o temprano, colapsa como predicador.

Todas las iglesias de una ciudad que tienen mil miembros deberían tener un cuerpo de pastores, y cada uno debería hacer lo que puede hacer mejor. Tenemos que utilizar a los hombres de ministerio con los dones más diversos. Empobrecemos nuestra vida eclesial cuando limitamos el ministerio de manera práctica a hombres de un solo tipo. Casi todas nuestras iglesias en ciudades funcionan según el viejo plan de la aldea: se supone que un solo hombre debe hacerlo todo. Con razón no pueden salir adelante con éxito ante los problemas de la ciudad. Una iglesia de aldea en un ambiente de ciudad es impotente. Los hombres y el dinero se malgastan en un esfuerzo sin sentido por hacer lo imposible. Lo que necesitan nuestras iglesias en las ciudades, más que cualquier otra cosa, es pastores. Una iglesia de ciudad, al igual de un hospital o una escuela de ciudad es una institución costosa, por tanto, se debe educar a los laicos para que inviertan su dinero en ella con una generosidad desconocida hasta ahora. Esto se debe a que los creyentes laicos, como regla, no conocen el valor del servicio pastoral por el que la mayoría de nuestras iglesias en ciudades están peleando una batalla perdida.

Cuando finalmente la membresía llega a ser difícil de manejar, y se ve al pastor tambalearse bajo su carga, en pura desesperación la iglesia decide obtener los servicios de un segundo obrero. ¿Y quién es más probable que sea ese obrero? Un hombre joven, quizá, recién salido del seminario, que está dispuesto a trabajar para ganarse la vida, o algún santo anciano cuya vitalidad decaída le ha cerrado todas las demás puertas. Para el púlpito, todos están seguros de que un hombre debe tener cerebro, talento, genialidad; pero para el servicio pastoral, la impresión común es que casi cualquier hombre es suficiente. Las iglesias muestran su estima del servicio pastoral por medio de la política que siguen para asegurarla.

Las escuelas de teología han sido responsables, en cierta medida, por la ignorancia de las iglesias. Un vistazo al currículo de un anticuado seminario es suficiente para demostrar que la teología pastoral era, a juicio de los doctores, una rama subordinada de conocimiento. El griego y el hebreo, la religión comparativa, las confesiones y credos, la retórica sagrada y la elocución, la homilética con todas sus ramas, sistemas de teología, sin duda todas estas cosas han tenido puestos preeminentes en los banquetes teológicos, y los jóvenes han sido enseñados a no mofarse de la labor pastoral, pero sí a ubicarla en un rango subordinado. La terapia espiritual, la casuística o los casos de conciencia, la cura de las almas, los remedios provistos en el recetario cristiano, la aplicación de los principios cristianos a las dolencias específicas del corazón de la persona, sin duda, estos son estudios que han recibido menos que su merecido. Entonces, nuevamente, la ciencia de la psicología, el arte de la cooperación, la filosofía de la comunidad, todos estos conocimientos y disciplinas que involucran la vida social y la acción comunal han sido pasados por alto con demasiada frecuencia, por no decir que se los ha ignorado por completo. Muchos graduados de seminario, que avanzan a tropezones en medio de las fuerzas complicadas de su primera congregación, han clamado en humillación y enojo: "¡¿Por qué no me enseñaron en el seminario cómo organizar mi trabajo y cómo lidiar con toda esta cantidad de enredos y problemas críticos para los cuales no tengo la más mínima preparación?!".

Un resultado de este menosprecio del servicio pastoral es visible en los sentimientos que albergan muchos jóvenes que entran en el ministerio. Dicen abiertamente que desprecian el trabajo pastoral. Disfrutan del estudio, aman los libros, se deleitan en la predicación. Pero, en lo que tiene que ver con pastorear a las ovejas, su alma lo aborrece. Les gusta sentir que tienen dones especiales para el púlpito. Cuando sus amigos les profetizan una gloriosa carrera en el púlpito, sus corazones cantan. Se dice que la labor del pastor era una abominación para los antiguos egipcios, y lo mismo les ocurre a todos los faraones de los púlpitos que están interesados en construir pirámides con palabras elocuentes. El miedo de desmoronarse bajo el peso de los sermones es como una pesadilla para ellos, el peso de colapsar bajo la labor pastoral ni siquiera se les cruza por la mente. Un desliz en el púlpito produce un remordimiento corrosivo, mientras que un error en la obra pastoral ni siquiera produce una punzada en sus conciencias. La adoración pública es, para ellos, lo único que importa, el principio y el fin de la vida ministerial. No han leído el Nuevo Testamento lo suficiente como para observar que ni Jesús ni los apóstoles hicieron de la adoración pública *una cosa necesaria* y, aunque no debe ser descuidada, hay aspectos que tienen mucho más peso.

En defensa de los jóvenes que miran de reojo la labor pastoral, se puede decir que la juventud es la época en que el intelecto es voraz por las ideas y es cuando Dios desea abastecer sus mentes. Los jóvenes, si están intelectualmente alerta, se interesan más en las ideas que en los hombres. Más aún, el don de la oratoria es un talento que se desarrolla a una edad temprana, y el amor por la predicación es uno de los deleites de la juventud. No se puede esperar que pastorear a las ovejas, una por una, sea tan fascinante para los jóvenes como dar un mensaje emocionante a través de una trompeta de plata a una multitud en un domingo. Es más, los ministros jóvenes tienen las fragilidades peculiares que son inseparables de la juventud. Les gustan los elogios. Son sensibles a los aplausos. Estiman el primer plano. ¿Cómo pueden evitarlo? Los anima la atención de la prensa pública. Los periódicos están por todos lados y sus contenidos son objeto de diálogo en diversos círculos. Encontrar un lugar en el periódico, por tanto, es una forma en que el ministro puede multiplicar su poder. Y para encontrar un lugar en el periódico, un hombre debe predicar. Puede decir cosas en el púlpito que los reporteros estarían felices de reproducir. Puede lograr desde el púlpito cosas que el mundo necesita.

Los jóvenes poseen una ambición legítima por hacer que sus vidas cuenten en lo que más sea posible. Son dignos de admiración por su deseo por atraer la atención a su mensaje. El púlpito es una especie de tejado desde el cual pueden gritar sus noticias a toda la ciudad. En cambio, en el trabajo pastoral, un hombre está parado sobre la tierra y es probable que el mundo no le preste atención. Nuevamente, los jóvenes son impacientes por naturaleza. Quieren que las cosas se logren y desean que se realicen enseguida. Lidiar con un hombre a la vez es tedioso y agotador. Persuadir a un muchacho rebelde para que obedezca a su madre, o levantar a un esclavo de la bebida para que alcance la sobriedad y la libertad o alumbrar un hogar humilde con una sonrisa y una oración: estas cosas requieren paciencia, tacto y sacrificio, y parecen una labor infructuosa en comparación con tener un gran impacto en una multitud de personas a la vez en un domingo. Los jóvenes anhelan hacer las cosas con rapidez, y esto es algo que no deberíamos lamentar.

Es la gloria de un joven que él quiera moverse con rapidez y que no sea tan paciente con la forma en que están las cosas, como lo es un anciano. Es una rapidez ardiente de la que hace que muchos jóvenes sientan aversión por la labor pastoral. Existen ciertos dones y gracias que, como un roble, maduran lentamente. Una de ellas es la compasión. La compasión es el fruto de la experiencia. La experiencia de los jóvenes es limitada y no se les puede culpar por ello. Muchos jóvenes se han sentido dolorosamente perturbados al entrar en su primera congregación a causa de su débil amor por las personas. Al examinar su corazón, el joven ha descubierto que estaba frío y muerto. Ha observado a los hombres y mujeres delante de él y se confesó a sí mismo que no le importa la mayoría de ellos. Parece no haber un punto de contacto entre él y ellos. El joven se ha dedicado a estudiar y ellos simplemente existen. Casi no saben nada; él sabe mucho. Él ha estado pensando, mientras que, al parecer, ellos no han pensado en absoluto. Él está bastante familiarizado con los grandes pensadores de Alemania, Inglaterra y Escocia, pero en su congregación, estos reyes del pensamiento moderno son completamente desconocidos.

Los más sabios en la comunidad no saben qué es el Ritschlianismo o el Pragmatismo o el Vitalismo o el Monismo o el Modernismo o cualquier cosa que acapare la atención del hombre moderno. La gente de su parroquia está simplemente comprando y vendiendo, trabajando y divirtiéndose. Las mujeres están atendiendo sus hogares y cumpliendo diversas funciones sociales. El mundo está comiendo y bebiendo, casándose y dándose en matrimonio, de manera muy similar a lo que hacían antes del diluvio. ¿Cómo es posible que un joven criado en el mundo de los libros adquiera de inmediato un interés robusto y genuino en un mundo tan insulso y atrasado? No es fácil en absoluto para un joven llegar a ser un pastor, y este no debe sentirse desanimado si no puede serlo en un día, o en un año. Puede ser un orador sin dificultad. Puede llegar a ser un reformador en un instante. Él puede realizar una labor fructífera en la crítica de la política y la sociedad en su primer domingo. Pero solo puede llegar a ser un pastor lentamente, al transitar pacientemente por el camino de la cruz.

La labor del pastor es humilde; así lo ha sido desde el comienzo y así será hasta el final. Un hombre debe rebajarse para realizarla. Un pastor no puede sobresalir. No puede lucirse. Su trabajo debe hacerse en la oscuridad. Las cosas que hace no aparecen en artículos interesantes. Su labor requiere una modestia continua. Es una forma de servicio que consume la vida de un hombre. Lo envejece antes de tiempo. Todo buen pastor entrega su vida por las ovejas. Si un hombre depende de los aplausos de la multitud, nunca debería entrar en el ministerio. Las obras más distinguidas que realiza un ministro no ocurren a la vista de todos y nunca salen en reportajes. Solo las conocen ellos mismos y una o dos personas más, y Dios. Su gozo no se encuentra en que se hable de su éxito en la tierra, sino en que su nombre esté escrito en el cielo. El pastor de ovejas en el Oriente no tenía una multitud que lo admirara. Vivía solo con las ovejas y las estrellas. Sus satisfacciones venían del interior. Los mensajeros de Cristo no deben esperar bandas de música para que lo acompañen en el camino. Su labor es humilde, sin pretensiones y, a menudo, pasa desapercibida, pero si edifica las almas en la justicia, es más duradera que las estrellas.

¿Cómo, entonces, puede un joven con limitada experiencia, compasión no desarrollada, temperamento impaciente, anhelo de atención, amor por la expresión personal y pasión por las ideas llegar a ser uno que verdaderamente pastorea a su gente? En primer lugar, que estudie nuevamente la vida del pastor ideal y entonces, día a día, tanto con oración como con obras de autosacrificio, que se esfuerce para desarrollar en sí mismo la mente de Cristo. "Los dolores y las oraciones a través de Jesucristo pueden lograr cualquier cosa", escribió John Eliot hace mucho tiempo. Jesús era un joven, pero tenía el corazón de pastor. La cercanía a él es una condición indispensable para absorber el temperamento del pastor y aprender los hábitos de Cristo.

Un estudiante esmerado del Nuevo Testamento no podría evitar notar con cuánto cuidado los evangelistas declaran la magnitud de la obra de Jesús y el alcance de las obligaciones que pone sobre los doce. Lucas nos cuenta que, en su primer sermón en Nazaret, Jesús aceptó el programa establecido por Isaías, y este era el predicar las buenas nuevas a los pobres y proclamar la libertad a los cautivos, recobrar la vista a los ciegos, liberar a los oprimidos y proclamar el año aceptable del Señor. Las palabras y las acciones están combinadas.

El Mesías debe hacer ambas cosas: *enseñar* y *hacer*. Lucas nunca pierde de vista la doble dimensión de esta labor. Le dice a Teófilo que su evangelio es la historia de lo que Jesús empezó tanto a hacer como a enseñar hasta el día en que fue recibido arriba. Dice que Jesús les encargó a los doce una labor doble. Llamó y reunió a los doce para entregarles el poder y la autoridad sobre todos los demonios, para curar enfermedades, y los envió a predicar el Reino de Dios y sanar a los enfermos. Los doce entendieron que tenían que hacer más que predicar. Partieron y viajaron por las aldeas predicando el evangelio y sanando por donde iban. En el evangelio más antiguo, Marcos, se deja en claro la misma distinción. "Y estableció a doce, para que estuviesen con él, y para enviarlos a predicar, y que tuviesen autoridad para sanar enfermedades y para echar fuera demonios" (Marcos 3:14-15). Este era el trabajo que él mismo había llevado a cabo. El Señor visitó las sinagogas por toda Galilea "predicando y expulsando demonios". Mateo mantiene la misma distinción. "Y recorrió Jesús toda Galilea, enseñando en las sinagogas de ellos, y predicando el evangelio del reino, y sanando toda enfermedad y toda dolencia en el pueblo. Y se difundió su fama por toda Siria; y le trajeron todos los que tenían dolencias, los afligidos por diversas enfermedades y tormentos, los endemoniados, lunáticos y paralíticos; y los sanó" (Mateo 4:23-24). Fue cuando Jesús vio a las multitudes desamparadas y dispersas como ovejas que no tienen pastor que él llamó "a sus doce discípulos, les dio autoridad sobre los espíritus inmundos, para que los echasen fuera, y para sanar toda enfermedad y toda dolencia" (Mateo 10:1). En otras palabras, los doce no debían simplemente proclamar con frases generales un mensaje para las multitudes, sino que debían predicar y tratar con los hombres, uno por uno, para expulsar sus espíritus malignos y sanar sus enfermedades.

Por tanto, si somos los sucesores de los apóstoles, debemos tener un espíritu apostólico y hacer la labor de los apóstoles. Tenemos que pastorear a las multitudes que están desamparadas y dispersas, para llevar la vida y el amor de Dios a la mente y el corazón de cada persona, por medio de nuestra propia personalidad llena del Espíritu. Es solo a través del trabajo pastoral que el mundo puede salvarse.

Sin la labor pastoral, el ministro mismo no puede ser salvo. Si la salvación es salud y la salud es el tipo de vida que encontramos en Jesús de Nazaret, entonces, ¿cómo puede un ministro tener una buena salud si le falta el corazón de pastor? ¿Cómo puede tener paz y gozo si elude las responsabilidades de pastor y huye de las cruces del pastoreo? La prueba más excelente de consagración de un ministro de Cristo no está en su desempeño público, sino en lo que hace cuando el mundo no está mirando. Es difícil para un hombre darse cuenta, cuando está predicando, si lo hace para sí mismo o para Dios. Explicar ideas gloriosas, revestirlas de un lenguaje que brilla y proclamarlas en tonos que queman, todas estas cosas son tan deleitosas que no es fácil para el predicador decir simplemente por qué le gusta hacerlo. Pero en la oscuridad del servicio pastoral, el ministro tiene la oportunidad de confirmar si en realidad ama a Dios y cuánto está dispuesto a hacer por las personas, simplemente por causa de Jesús.

Un ministro puede echar a perder su labor pastoral y todavía mantener su posición como pastor del rebaño, pero no puede mantener su posición en el Reino de Dios. El pastor infiel es castigado con una penalidad inescapable, infligida automáticamente. Poco a poco su conciencia se cauteriza, el corazón se vuelve menos sensible, el ojo espiritual pierde su perspicacia y el culpable, que en el exterior sigue pareciendo devoto y es honrado públicamente, es empujado lenta pero inexorablemente por la mano del Todopoderoso a las profundidades más insondables de esa oscuridad exterior preparada para todos los que son cobardes ante su encargo. Los hombres no eluden el servicio pastoral porque sean fuertes, sino porque son débiles. No tienen la fuerza suficiente para doblegar sus vidas en conformidad a la vida de Cristo. Son los débiles y no los gigantes quienes descuidan a su gente. Es el pagano y no el creyente el que brilla en público, pero no cumple con las obligaciones privadas que le pertenecen como un mayordomo ordenado del Hijo de Dios. Cuando un hombre dice que aborrece el trabajo pastoral y se dedica lo menos posible a él, si tuviera oídos para oír, escucharía al Espíritu decirle: "¡Eres un necio!".

Unas pocas cosas son innegables. Vivimos en un universo creado por un Dios Pastor. El Señor es nuestro pastor. Nuestro mundo es redimido por un Salvador Pastor. Nuestro hermano mayor es un pastor. El hombre que la humanidad más necesita es un pastor. Todo mensajero de Cristo ha sido enviado a realizar la labor de un pastor. Tendremos que comparecer al final delante de un Juez pastor. Dios separará a los buenos pastores de los que son malos. Hay tres preguntas de suma importancia que todo pastor debe afrontar y responder:

- ¿Apacentaste mis corderos?
- ¿Pastoreaste mis ovejas?
- ¿Apacentaste mis ovejas?

2

La Labor del Pastor

Una razón por la cual la labor pastoral es frecuentemente menospreciada es porque su concepto ha sido reducido de una manera injustificable. Al quitarle su amplitud, es fácil hacer que parezca insignificante. La dignidad pastoral es inevitablemente rebajada por cada reducción del rango de la responsabilidad pastoral. ¿Qué es la labor pastoral? Una respuesta común a esta pregunta es que se trata de oficiar matrimonios y también funerales. Incluye bautizar bebés y decir palabras amables a los extraños. Es consolar a los enfermos y ayudar a los pobres. El que hace estas cosas fielmente es un buen pastor. Esa es la concepción popular. Pero si de esto se tratara la mayor parte del trabajo pastoral, si fuera tan simple, fácilmente pudiera ser cumplido por los laicos. Si a las seis funciones pastorales reconocidas universalmente se agregara la tarea de la visitación pastoral sistemática, como se espera en muchas comunidades protestantes, se supone que quedaría completamente descrito el total de la labor de un pastor. Pero existe un escepticismo generalizado en relación con la utilidad de esta visitación pastoral, por lo que existe una constante revuelta en su contra.

¿Quién no ha oído calumnias dichas sobre la absurdidad de malgastar el tiempo tocando timbres y llenando la tarde con una ronda de visitas sociales que dejan exhausto al ministro y no agregan nada al bienestar espiritual de su gente? Algunos consideran que la tarea de la visitación pastoral es algo fácil. La predicación, por supuesto, es laboriosa, pero las llamadas, es decir, las visitas, etc., que el pastor hace son una recreación, una especie de juego ministerial. Para otros, no es un juego, sino tribulación; una monotonía agotadora, una imposición cruel que recae sobre los ministros desamparados, aprobada por la tradición, pero que no se incluye en el plan de Dios. Es debido a que los hombres no ven con claridad lo que es en realidad el servicio pastoral que con frecuencia es ridiculizado y despreciado. Se aprovechan algunos de algunos elementos de la administración congregacional y lo convierten en la suma total de la labor de un pastor. Cualquier cosa se vuelve despreciable si uno lo talla hasta quedar del tamaño de una astilla. Las siete funciones descritas anteriormente son solo fracciones diminutas del duro trabajo de un pastor.

La labor pastoral no es atractiva para una mente importante y noble, hasta que se la haya visto en su totalidad, y hasta que la riqueza de su oportunidad y la diversidad de su responsabilidad haya sido comprendida por completo. Para descubrir el alcance del servicio pastoral, debemos ir al Oriente, donde se originó nuestra metáfora del pastor y así verificar cuál era la tarea de un pastor en la región de Palestina. Jesús era un oriental que se dirigió a orientales. Él pensó en los términos familiares para la mente oriental. El Señor pertenecía a una nación cuya riqueza se encontraba en gran proporción en las ovejas, y sobre los campos de los que provenía su historia se escuchaba constantemente el mugido del ganado y el balido de los corderos.

Algunos de los héroes hebreos más importantes habían sido cuidadores de ovejas. Todos los patriarcas, el mayor proveedor de leyes, el más dulce de los poetas y algunos de los profetas más poderosos fueron pastores en sus primeros años de vida. En los ojos hebreos, la labor del pastoreo tenía una gloria invisible para nuestros ojos. En Palestina y en los países que la rodean, el trabajo de un pastor de ningún modo era simple o fácil. Era arduo y multifacético. Era un llamado para ejercer diversas habilidades, proporcionaba el alcance para la exhibición de las virtudes más sublimes. Era un desafío para un rango más alto de talentos y desarrollaba las cualidades más nobles del alma. Al mirar el rango de las obligaciones del pastor, podremos comprender lo que el servicio pastoral significaba para Jesús, por qué expresó su encargo al líder de los apóstoles con el vocabulario de un redil y cómo sucedió que el título elegido por él para sí mismo fuera "pastor".

Un Vigilante

El pastor oriental era, antes que nada, un vigilante. Tenía una torre de vigía. Era su obligación tener un ojo bien abierto, inspeccionar constantemente el horizonte por si acercara algún enemigo. Estaba obligado a ser cauteloso y atento. La vigilancia era una virtud cardinal. Una vigilia alerta, para él, era una necesidad. No podía permitirse los ataques de somnolencia, porque el enemigo siempre estaba cerca. Solo al estar alerta podría evadir al enemigo. Había muchas clases de enemigos, todos ellos terribles, cada uno de diferente manera.

En ciertas épocas del año había inundaciones. Los ríos crecían súbitamente y se desbordaban de sus orillas. Era necesaria una acción rápida para escapar a la destrucción. Había enemigos de un tipo más sutil: animales, rapaces y traicioneros, como leones, osos, hienas, enormes aves de rapiña que siempre volaban en las alturas, listas para bajar en picada para atrapar un cordero o algún niño. Y el más poderoso de todos los enemigos eran las bestias humanas: ladrones, bandidos, hombres cuyo negocio era robar en los rediles y asesinar a las ovejas. El mundo oriental estaba lleno de peligros. Abundaban las fuerzas hostiles al pastor y a su rebaño. Cuando Ezequiel, Jeremías, Isaías y Habacuc hablaban sobre pastores, los llamaban vigilantes dispuestos para advertir y salvar.

Pablo, el primer gran pastor de la iglesia cristiana, en su despedida a los líderes de la iglesia de Éfeso, enfatiza la importancia de la labor de vigilancia. Su exhortación final es: "¡Velad!". Él les proporciona a estos hombres tres razones para su advertencia. Asegura que entrarían lobos rapaces que no perdonarían al rebaño. Y más aún, de entre ellos mismos se levantarían hombres que hablarían cosas perversas para arrastrar a muchos tras sí. Existen dos frentes desde los cuales siempre se pueden esperar a los enemigos: del exterior y también del interior, del mundo y también de la iglesia. No solo habrá lobos vestidos con piel de lobo, sino que también llegarán lobos vestidos con piel de oveja, y el ministro cristiano debe estar en guardia contra ambos tipos de lobos. El apóstol continúa para recordarles a sus convertidos del ejemplo que él les había dado, y les dice: "Por tanto, velad, acordándoos que por tres años, de noche y de día, no he cesado de amonestar con lágrimas a cada uno" (Hechos 20:31). La vigilancia es una de las marcas del buen pastor. El autor de Hebreos describe de esta manera a los líderes de la iglesia: "ellos velan por vuestras almas" (Hebreos 13:17). Ellos rendirán cuentas ante el gran pastor y, por tanto, su propósito es tu seguridad. Ellos observan con ojos que no duermen.

Qué tan a menudo la palabra "velar" estuvo en los labios de Jesús se puede inferir por su frecuencia en las páginas de los evangelios. Para Jesús, la vida es crítica, el alma está siempre en medio de peligros. La jornada desde la cuna hacia la tumba es peligrosa. Los hombres deben orar y velar. Ahora, si cada hombre está rodeado de peligros, si el universo está plagado de fuerzas hostiles para el alma, entonces la vigilancia es una de las responsabilidades más cruciales del pastor, puesto que se le han encomendado vidas preciosas, vidas por las que debe rendir cuentas. Vigilar, inspeccionar, examinar el horizonte, mirar detenidamente en la oscuridad de los días futuros, espiar en el interior de la naturaleza de fuerzas que trabajan como levadura insidiosa y venenosa, calcular el advenimiento de las tormentas que están dormidas en las cuevas de días venideros; todo esto es trabajo pastoral, un trabajo que lamentablemente no siempre se lleva a cabo a conciencia. Más de un ministro falla como pastor porque no está vigilante. Permite que su iglesia se rompa en pedazos porque está medio dormido. Dio por sentado que no había lobos ni aves de rapiña ni ladrones y, mientras dormía el enemigo llegó.

Las falsas ideas, las interpretaciones destructivas, las enseñanzas desmoralizantes llegaron a su congregación y él nunca se enteró. Estaba interesado, tal vez, en la investigación literaria; estaba absorto en la discusión contenida en el último boletín teológico, y no sabía lo que sus jóvenes estaban leyendo ni qué ideas extrañas habían sido implantadas en las mentes de un grupo de sus miembros líderes. Hay errores que son tan feroces como lobos y tan despiadados como hienas; hacen pedazos la fe, la esperanza y el amor, y dejan machacadas y medio muertas a las iglesias que una vez fueron prósperas. O podría ser que nuevas concepciones sobre Dios y el mundo se estuvieran levantando como soles ardientes en el firmamento del mundo del pensamiento, y las mentes de los seguidores de Jesús quedaron agitadas y perplejas. Se necesitaba instrucción para preparar a los hombres de modo que aceptaran ideas cambiadas de las Escrituras, de la inspiración y de la autoridad, pero el vigilante estaba mirando en otra dirección. Estaba estudiando el pasado; estaba casado con lo antiguo; era devoto de los altares de la generación anterior. No vio que el viejo orden estaba cambiando, abriendo camino para uno nuevo. Y puesto que no sabía lo que estaba ocurriendo en el mundo y en su congregación, la fe de nobles santos de Dios fue sacudida y la paz de muchos corazones quedó destruida. Vigilar es una de las principales formas de servicio pastoral. Un pastor es un vigilante. Su hogar está en una torre.

Un Guardia

Un pastor en el Oriente era también un guardia. Su misión era no solo supervisar, sino también proteger. Era el guardián de las ovejas. Era su defensor. Las ovejas están entre los animales más indefensos. No se les ha provisto de armas de ataque ni de defensa. No pueden morder ni rasguñar ni patear. Pueden correr, pero no tan rápido como sus enemigos. Una oveja no es rival para muchos animales que tienen la mitad de su tamaño. Su indefensión es digna de lástima. Depende de manera absoluta de la fuerza y la sabiduría humana. Su seguridad yace por completo en el hombre. El hombre es su refugio, su escudo, su protección, su roca, su fortaleza. Todo lo que el Salmista dice de Dios, una oveja podría decir de su pastor. Las paredes del redil son construidas por el pastor. Cuando no hay piedras, él utiliza arbustos espinosos para construir barreras. Él hace la puerta del redil, la abre y la cierra. Es su previsión la que protege a las ovejas. Es su valentía la que las salva. Él las defiende en el momento del ataque. Él las salvaguarda cuando no están conscientes del peligro. Las ovejas le deben su seguridad cuando menos están conscientes de su obligación. El pastor en el Oriente era en guardador, un protector, un defensor. "Aunque ande en valle de sombra de muerte, no temeré mal alguno, porque tú estarás conmigo" (Salmo 23:4). Los barrancos o desfiladeros profundos en Oriente eran el escondite de animales salvajes y la guarida de hombres peligrosos. Sin embargo, aun ahí, las ovejas estaban seguras cuando el pastor estaba con ellos. Su vara y su cayado las protegía.

La protección de las ovejas es una función primordial en la labor pastoral. Cómo guardar a los jóvenes de la comunidad de la tentación abrumadora, cómo refugiar a las muchachas de una aldea o ciudad de los peligros innecesarios, cómo proteger al proveedor para que no derroche su dinero y cuidarlo de los excesos inherentes en bares y tabernas, cómo evitar que la diversión y la recreación se degeneren en formas de desmoralización, cómo disminuir los males que no se pueden aniquilar y cómo guardar a los niños de las influencias que ensucian la mente y carcomen el florecimiento del corazón; todo este trabajo de prevención es labor pastoral, ¿y qué trabajo es más importante y más difícil?

Crear obstrucciones en la corriente del mal, construir muros para alejar las manadas de animales que laceran y arruinan, erigir salvaguardas en el borde de precipicios peligrosos es la labor del pastor, y es una vergüenza tener iglesias donde no se ha cumplido con este encargo. Hemos invertido demasiado tiempo para persuadir a las ovejas medio muertas para que vuelvan a vivir, pero no hemos dedicado suficiente tiempo para construir barreras que las guarden de los lobos. Hay muchos ministros que no anticipan, como deberían, los peligros a los que su gente se dirige. No toman las precauciones necesarias para sí mismos ni para los que han sido confiados a su cuidado. No planifican ni trabajan para crear acciones destinadas a la protección de los ataques. No interceptan con medidas habilidosas u oportunas la ruina que el enemigo está tramando. Hay una necesidad en cada congregación de una labor constructiva de primer nivel. Ninguna otra labor exige un grado más alto de inteligencia y destrezas. Las pérdidas de la congregación promedio son desastrosas, y una de las razones es que no se está protegiendo la vida de manera apropiada. El pastor no tiene ingenio para construir rediles que mantengan fuera a los lobos. Parecería que no sabe que es su obligación crear los medios y las medidas para enfrentar y vencer a las fuerzas hostiles que constantemente hacen guerra contra la iglesia de Cristo. Él no guarda.

Un Guía

El pastor es un guía. Las ovejas no son viajeras independientes. Deben tener un conductor humano. No pueden ir a lugares predeterminados por sí mismas. No pueden comenzar el día por las mañanas en búsqueda de pastos y después volver a casa al anochecer. Aparentemente no tienen un sentido de dirección. El pastizal más verde podría estar a pocos kilómetros de distancia, pero si se deja a las ovejas a su suerte, no podrán encontrarlo. ¿Qué animal es más incapaz que una oveja? El animal se da cuenta de su impotencia, porque ningún animal es más dócil. Las ovejas irán donde el pastor las guíe. La oveja sabe que el pastor es un guía y que siguiéndole a él, están a salvo. El pastor no puede arrear a las ovejas, sino que debe guiarlas. Se puede arrear a las mulas y a los cerdos, pero no a las ovejas; su naturaleza les hace seguir. En el Oriente es necesaria mucha guía. El pastizal con frecuencia se encuentra en puntos y franjas, y en ocasiones las franjas y puntos están alejados entre sí. Los arroyos no son abundantes y, en algunas estaciones, la tierra está reseca por la sequía. En campos así, la tarea de guiar es difícil y urgente. El poeta que pensó en Dios como un pastor conocía bien la labor de uno. Él pensó en Dios, en primer lugar, como un líder. Dios va por delante y encuentra los arroyos de agua dulce y los pastos fragantes. "En lugares de delicados pastos me hará descansar; junto a aguas de reposo me pastoreará" (Salmo 23:2). Esta idea de liderazgo estaba en la mente de Jesús cuando dijo: "Yo soy el Buen Pastor". Su boceto del pastor palestino era fiel a la realidad. "Las ovejas oyen su voz; llama a sus ovejas por nombre y las conduce afuera. Cuando saca todas las suyas, va delante de ellas, y las ovejas lo siguen porque conocen su voz".

Es común que un ministro sea un líder y, sin embargo, no todos saben liderar. En otras palabras, este ministro no es un buen pastor. Algunos tratan de arrear. Su debilidad fatal es su incapacidad de ver que los pastores no pueden arrear. Tales hombres siempre están cortando, azotando, forzando y, por lo tanto, metiéndose siempre en problemas. Continuamente pelean con su gente, y la única razón es porque no saben liderar. Empujan en lugar de atraer; dan empellones en lugar de cautivar. Creen en la propulsión y no en la atracción. Carecen de la magia del toque de un pastor. No conocen la naturaleza humana, no se dan cuenta de que los hombres, al igual que las ovejas, deben ser guiados. Un ministro siempre debe ir delante de su gente. Debe guiarlos en su pensamiento.

Es trágico cuando un ministro no es el líder intelectual de su gente. Si sus concepciones son las mismas del hombre promedio, si sus ideas son seguras y comunes, semejantes a las de la comunidad general, si en su actitud a las grandes reformas no va por delante de la multitud, si en la tarea de derribar las fortalezas del mal, muchos son más agresivos que él, entonces no es un pastor. Un ministro que no guía está eludiendo una rama principal de la labor pastoral. Su gente lo seguiría si tan solo él los guiara. Pero se esconde en medio del rebaño y, con frecuencia, queda rezagado en la parte de atrás.

A veces no es un líder ni siquiera en los negocios de la congregación. No enseña a su gente a trabajar. Hombres y mujeres, sin importar cuánto talento y buenas intenciones posean, no saben cómo llevar a cabo la obra cristiana, a menos que se les instruya. El trabajo yace en las masas que los rodean, pero ellos no podrán dedicarse a él a menos que sus manos estén entrenadas. Las puertas de la oportunidad permanecen abiertas, pero el creyente promedio no entrará a menos que se le anime a hacerlo. Es sorprendente cuánto trabajo cumpliría cualquier congregación de creyentes si tan solo tuviera un líder.

Un líder no es alguien que exhorta, regaña o declama, sino un hombre que va por delante y señala las cosas particulares que deben ser logradas; y no solo las señala, sino que también demuestra cuál es la mejor manera de llevarlas a cabo. Algunos ministros pueden ver un enorme trabajo que deben tratar de hacer, pero no pueden guiar a su gente a él. Pueden describir de manera crítica la naturaleza estratégica de la batalla que debe pelearse, pero nunca consiguen que su gente salga al campo de batalla. Son visionarios, soñadores, pero no pastores. No guían. Ningún hombre es en realidad un líder si otros no lo siguen.

Un Médico

Un pastor en el Oriente era un médico para las ovejas. Al igual que los seres humanos, las ovejas tienen enfermedades y, tal como las demás criaturas vivientes en nuestro planeta, son susceptibles a los accidentes y las tragedias. Se cortan, sus pies se lastiman, se rompen las piernas, caen víctimas de moquillo y enfermedades de muchos tipos. El pastor oriental era un sanador de las enfermedades de su rebaño. Era normal que, al menos, una de sus ovejas estuviera débil y enferma, y el pastor otorgaba un cuidado más abundante a esta incapacitada. La oveja que no tenía apetito, la que se quedaba sin aliento durante una travesía, la que cojeaba y ocasionalmente se recostaba, estas eran las ovejas por las que el pastor sentía compasión. La naturaleza de su llamado obligaba al pastor para que fungiera como médico y enfermero.

Jesús, el Buen Pastor, siempre se consideró a sí mismo como un médico. Él no podía entender por qué sus enemigos objetaban cuando él ponía atención a los enfermos. Cuando envió a sus discípulos, les encargó que hicieran dos cosas: que predicaran y sanaran, dejando en claro que sus enviados no podrían cumplir su ministerio solo con palabras; debían realizar una labor en particular.

Es la misión del pastor "curar un espíritu enfermo, arrancar de su memoria un dolor arraigado, borrar el pesar escrito en su cerebro, y con algún dulce antídoto que permita olvidar, liberar su agobiado pecho de todo el veneno que le oprime el corazón".[1] Siempre hay alguien que padece una dolencia en la congregación, no solo física, sino mental, moral o espiritual. Las enfermedades del alma son muy numerosas y los remedios provistos por el Todopoderoso son eficaces solo cuando los aplica un médico experimentado.

Hay enfermedades del alma que son peculiares a ciertas edades y temperamentos, a llamados y entornos determinados, y el ministro debe conocer los síntomas de estas enfermedades

1 *Macbeth*, Acto 5, Escena 3.

particulares, las etapas de su desarrollo y los procesos higiénicos que se requieren para curarlas. Hay pérdida del apetito, demacración, debilidad, fiebre, ceguera, sordera, perlesía, parálisis, enfermedades del corazón, dolencias ocultas e incomprensibles en la mente, depresión, postración y paroxismos agonizantes del espíritu. Este es un campo en el cual el ministro está llamado a hacer uso de sus destrezas y fuerzas. Su misión es atender a los enfermos, y no todas las personas enfermas padecen de la misma dolencia, ni todas requieren los mismos remedios ni el mismo tipo de cuidados. En ninguna otra área el ministro necesita una visión tan aguda, poderes de discernimiento tan buenos, tanta destreza para dar un diagnóstico y tal habilidad para sobrellevar las fuerzas sutiles y misteriosas, como en esta. Hay ministros que a duras penas logran entrar en este gran terreno del servicio pastoral. Las conciencias enfermas están en sus congregaciones, pero no saben cómo tratarlas. Los corazones heridos están sangrando, pero no saben cómo contener la hemorragia. Las almas desconsoladas y afligidas viven en lamento, pero los ministros no saben cómo hablar palabras de sanidad. Los espíritus están enfermos de muerte, pero ellos no pueden traerles alivio. Hay quienes están poseídos de demonios, y el pastor no sabe cómo expulsarlos. Desconoce toda la ciencia de terapias espirituales y los seguidores de Jesús, en muchos casos, sufren por años con enfermedades de las que un médico espiritual experto podía haberlos librado.

En demasiadas congregaciones hay casos de desarrollo atrofiado, ejemplos de parálisis moral, tristes ataques de postración espiritual que podrían recibir alivio y cura si tan solo el ministro entendiera mejor la naturaleza del alma y los remedios que Jesucristo ofrece a la mente humana.

Actualmente circula la noción de que el ministerio debe tomar en sus manos todos los trastornos físicos, de que él elude sus obligaciones si no amplía su campo para cubrir todas las enfermedades de la carne, así como cada dolencia de la mente. Sin duda es verdad que el cuerpo y la mente juntos componen al hombre, y que el hombre está en su totalidad bajo la ley de Dios y es el sujeto de redención. Porque no hay razón por la que un ministro deba afirmar que lo sabe todo o fingir que puede hacerlo todo. ¿Por qué prescindir de otros siervos del Todopoderoso que también son llamados para compartir la carga de la tarea de la redención humana? Tanto al médico como al clérigo Dios otorga sabiduría y gracia, y a cada uno le da una tarea que llevar a cabo en la vida y trabajo del mundo. Tanto la humildad cristiana y el sentido común se ejemplifican cuando un ministro trabaja de la mano con hombres que han aprendido las leyes de Dios en otras provincias de su vasto reino y se vale de cualquier ayuda que el Señor esté dispuesto a prestar a través de ellos.

Aunque el ministro no debe tratar de suplantar al médico, sin embargo, nunca puede olvidarse de que él mismo, como pastor, es un médico y que, a través de todos los recursos que Dios pone a su alcance, es su obligación trabajar por la restauración de la humanidad a la salud tanto física como espiritual. Con frecuencia, la raíz de las enfermedades morales está en la carne, y muchos fenómenos espirituales se pueden explicar solamente por el conocimiento de la fisiología. La salud física de su gente es siempre causa de preocupación para el pastor instruido. Cualquier cosa que ministre su salud física posiblemente proveerá del mismo modo una revelación más completa de su naturaleza espiritual, y un servicio más eficiente en el Reino de Dios. La higiene física, moral y espiritual es parte de la labor del pastor. El pastor es el médico de las ovejas.

Un Salvador

El pastor es un salvador. Él salva a las ovejas que están perdidas. Una parte crucial de la tarea del pastor es el trabajo de rescate. Las ovejas son propensas a perderse. Se extravían a través de la simpleza y también por medio de la desobediencia y la necedad. Una oveja se mantiene con la nariz pegada al suelo, siguiendo la franja del pasto más verde, poco a poco, mientras se separa de sus compañeras hasta que, al fin, el resto del rebaño queda completamente fuera de su vista, y el pobre animal solitario no sabe dónde está. Una vez que se da cuenta de su condición perdida, comienza a buscar a sus compañeras impetuosamente. La oveja no puede vivir sola, fue creada para estar en sociedad. Cuando está sola, es timorata y el temor la afecta con facilidad. Cualquier imagen la alarma, cualquier sonido la asusta. La oveja corre de aquí a allá, buscando su camino, pero su búsqueda generalmente es infructuosa. Una oveja perdida no regresa a su hogar. Mientras más intente encontrar su camino, probablemente estará más lejos del rebaño. En su desesperación, puede que corra a un matorral o se hunda en una ciénega o caiga en un hoyo y perezca ahí, a menos que el pastor lo encuentre. Una oveja es como un hombre en el hecho que no puede salvarse a sí misma; sin un salvador, está irremediablemente perdida.

En el Antiguo Testamento, el tema del cuidado del pastor por su oveja se desarrolla meticulosamente. Los profetas y los poetas siempre están ensalzando el cuidado del pastor, pero no es hasta que pasamos al Nuevo Testamento que la atención de un pastor por la oveja perdida se convierte en un tema primordial y dominante. En la predicación de Jesús, entendemos por primera vez el cuadro completo de un pastor que sale a buscar a la oveja perdida. Era una de las características del pastoreo en las que

Jesús le encantaba pensar. Esta era la disposición predominante en su propio gran corazón. Cuando vio a las multitudes, fue movido a compasión por ellas porque estaban desamparadas y dispersas, como ovejas que no tienen pastor. Uno de los dichos que les encantaba especialmente a los primeros evangelistas era: "No soy enviado sino a las ovejas perdidas de la casa de Israel" (Mateo 15:24). El pastor que dejó a sus noventa y nueve ovejas en el redil y salió a buscar a esa oveja que se había descarriado fue el que Jesús levantó en alto como ideal y ejemplo. La tarea de rescate era estimada para su corazón. Él siempre estaba buscando a las ovejas perdidas. Eso es lo que estaba haciendo el día que encontró a Mateo en sus labores, y una vez más el día en que se encontró con una mujer en el pozo, y nuevamente el día en que encontró a Zaqueo trepado en el árbol. Tan ardiente e incansable era su amor por aquella oveja perdida que uno de los apodos que le arrojaron sus enemigos era "amigo de publicanos y pecadores", o, en otras palabras, "amigo de ovejas perdidas".

Todos los trabajos de rescate son estrictamente parte de la labor pastoral. Cada vez que un ministro realiza un esfuerzo para recuperar a un miembro de su congregación que se ha descarriado, está haciendo la labor de un pastor. Algunos ministros no reproducen este rasgo del buen pastor, es decir, la disposición de buscar a los perdidos. Están interesados en las ovejas del rebaño; las ovejas que están afuera no le preocupan tanto. Pronuncian el siguiente monólogo: "¿Por qué no entran? Si están afuera, es su culpa. La iglesia está abierta. Aquí predicamos la Palabra de Dios. Administramos los sacramentos. Esto es suficiente". Ese es un estilo de argumento que trae alivio a un tipo en particular de mente ministerial. Tales ministros tienen pocos convertidos. El número de llegadas a la confesión es pequeño, pero esto no les molesta, porque no sienten ningún llamado especial para las ovejas descarriadas de la casa de Israel. A estos ministros les gustan las ovejas que no se extravían, sienten afecto por las buenas ovejas que se portan bien y no le dan problemas al pastor al extraviarse. Es una gran molestia ir tras una oveja que se ha apartado, un sacrificio que apenas es necesario hacer.

Hay otros ministros que tienen una pasión por los perdidos, pero solo los de un tipo en particular, hombre y mujeres que nunca han pertenecido a la iglesia. Cómo alcanzar a las supuestas masas de incrédulos es, para estos ministros, el único gran problema. Se adopta todo tipo de recursos para atraparlos. Cuando se gana a alguno de ellos, ahí se termina el interés del ministro en ellos. Ahora son miembros de la iglesia y debe avanzar el trabajo de rescatar a otros que están perdidos. Pero, tristemente, muchos de los que han sido encontrados se descarrían en poco tiempo. Demostrando que no eran salvos. Son ignorantes y necios, como ovejas, se alejan del rebaño, pero el ministro no va tras ellas; a él le gustan las ovejas abierta y notoriamente perdidas, pero no las extraviadas. Él se siente enfurecido porque sus miembros descarriados lo han abandonado, se lo toma como una afrenta personal, resiente su hábito de andar errantes. En un arranque de petulancia, podría decir que se alegra de que se hayan ido. Al principio dejaron de asistir a la reunión de oración, pero su ministro no fue tras ellos ni envió a nadie a buscarlos. Luego llegaban ocasionalmente al culto del domingo y, más adelante, dejaron de venir, pero el ministro no les dio amonestación alguna. Estaba molesto por esta recaída, pero no dijo nada. Sus sermones, él lo sabe, han sido su mayor logro. La Palabra de Dios ha sido predicada con fidelidad. Él nunca ha sido más fiel en su estudio, para que no pudiera haber ningún defecto en él. Si las ovejas empiezan a deambular, es por su propia necedad; si quedan rezagadas, es porque no vale la pena salvarlas. Muchos ministros se consuelan de este modo. El resultado es que las pérdidas de la iglesia son tremendas.

Algunas iglesias reciben grandes adhesiones, pero nunca crecen. Siempre están agregando nuevos nombres, pero no hacen nada grande por el Reino de Dios. Cada congregación pierde constantemente, y parte de la pérdida es inevitable. Cristo perdió a una de sus doce ovejas, y ningún ministro es culpable por no mantenerlas a todas. Pero gran parte de la pérdida es culposa. Podría reducirse en gran manera por medio de un pastoreo más fiel. En muchos casos, las ovejas descarriadas pueden ser traídas de vuelta si tan solo el pastor fuera tras ellas. Las ovejas perdidas por la séptima vez podrían ser recuperadas si alguien en la congregación tuviera la paciencia y la ingenuidad de un corazón que busca a los descarriados. Las pérdidas usualmente con graduales y, por lo tanto, pasan desapercibidas. Si el ministro escuchara una mañana que veinticuatro de sus miembros nunca volverían a la iglesia, él se alarmaría con toda razón. "¿Por qué pasa esto?", se preguntaría. "¿Cuál es el problema? ¿Qué hay de malo conmigo o con la iglesia para que todas estas personas se vayan? ¿Qué clase de lobo o jacal anda suelto por mi rebaño, causando esta desmoralización?". Pero si estos miembros de la iglesia salen uno por uno, en silencio y sin hacer un anuncio público, en promedio uno por mes, el ministro, si no es un pastor, no prestará atención a este drenaje, a pesar de que al final de dos años, todos los veinticuatro se habrán ido y la pérdida para la iglesia será tan grande como si todos hubieran partido el mismo día.

El ministro que permite que una oveja abandone su rebaño sin una herida en su corazón y sin levantar una mano para traer de regreso a esa oveja no es un buen pastor. Un buen perro ovejero dará vueltas alrededor del rebaño para traer cuidadosamente a su lugar a cada oveja que muestre una disposición para quedarse rezagada. Su instinto le dice que el arte del pastoreo es el arte de cuidar de la oveja que se está descarriando. Él sabe, en su mente animal, que trae vergüenza a la raza de los perros ovejeros, a menos que pueda rescatar a esa oveja que comienza a desviarse. ¿No debería un pastor humano ser tan sabio como un perro ovejero? Puede que un ministro sea un buen predicador, puede que celebre bodas con gracia y oficie funerales con dignidad, pero no es un buen pastor si su mente no se inmuta cuando un miembro solitario de su rebaño se descarría. El trabajo de cuidar exige prudencia, el trabajo de guiar requiere valentía, el trabajo de sanar involucra destreza, pero la tarea de rescatar es una labor de amor. Muchos ministros serían mejores pastores si tuvieran un corazón más amoroso.

Uno que Alimenta

Es conocido por todos que la alimentación de las ovejas es una obligación esencial del llamado del pastor, incluso por aquellos que están menos familiarizados con los pastores y su trabajo. Las ovejas no pueden alimentarse ni conseguir agua por sí mismas. Se las debe conducir al agua y al pastizal. El agua en Oriente con frecuencia se sacaba de pozos, y sacarla es parte del trabajo de un pastor. El pasto varía con las estaciones y el pastor cambia continuamente la ubicación de su rebaño. Se mueve de un lugar a otro; mantiene a las ovejas en el valle por un tiempo y en la planicie en otro tiempo, para después llevarlas a las cimas de las montañas, de modo que estén bien alimentadas. Todo depende de la nutrición apropiada de las ovejas. Si no se las alimenta con sabiduría, estas se ponen raquíticas y enfermas, y la riqueza invertida en las ovejas se desperdicia.

Cuando Ezequiel da una representación del pastor malo, el primer pincelazo en su descripción es que no alimenta al rebaño (Ezequiel 34:2). Cuando Jesús le encomienda la iglesia a Simón Pedro, su primera palabra es "apacienta". La tarea de alimentar no se debe descuidar jamás. El hecho de que Dios alimenta a su pueblo como un pastor era una idea llena de consuelo para el corazón hebreo. Él prepara la mesa, él hace que la copa rebose, esa es parte de su ministerio de gracia para con los hombres. Jesús afirma ser el Buen Pastor, y uno de los fundamentos para su declaración es que él alimenta. Debemos acudir a él para beber y para comer. Él es el pan de vida y también el agua de vida.

La idea de la provisión está entretejida en la concepción popular de la labor del ministro. "No alimenta a su gente" se considera entre las acusaciones más condenatorias que se puede hacer contra el pastor de una iglesia. Un poeta inglés ha esbozado en un solo verso el retrato de un ministro que es lo que no debería ser: "Las hambrientas ovejas alzan la cabeza, pero no han sido alimentadas".[2]

Pero, aunque se reconoce universalmente que el ministro debe alimentar a su gente, es sorprendente la poca atención que prestan muchos ministros al tema de la nutrición, y cuán poco piensan en el arte de la alimentación. Se ha puesto mucho énfasis en el arte de escribir sermones, cómo elegir el texto, cómo desarrollar la idea, cómo ilustrar y adornar la verdad y cómo perfeccionar el argumento. El mundo apenas alcanza a contener los libros que se han escrito para enseñar a los ministros cómo escribir sermones. Pero en muchos de estos libros no se considera la idea de la alimentación. No se considera al sermón como una forma de comida que se debe adaptar a un apetito en particular, que puede ser asimilado por un estóma-

2 John Milton, "Lycidas."

go en particular. La alimentación de una congregación es una de las responsabilidades más trascendentales y difíciles que un hombre puede asumir.

En cada iglesia existe una amplia variedad de edades, temperamentos, apetitos, gustos, constituciones y, por consiguiente, se requiere una gran diversidad de alimentos preparados de diferentes maneras. Se debe alimentar a los corderos. Los corderos tienen diferentes edades y necesidades. Se debe alimentar a las ovejas. Las ovejas son de diferentes grados y naturalezas. El gran problema es cómo alimentar a todos estos tipos distintos de corderos y ovejas con un alimento adecuado para cada uno. No hay otra área en la que se necesite más profundamente el instinto pastoral que en la labor de la predicación. Muchos no llamarían a la predicación trabajo pastoral en absoluto, pero ¿qué otra cosa sería, si no es pastoreo? Ninguna otra área de la labor de un ministro es más estricta y genuinamente pastoral que la tarea de la predicación. Cuando el ministro sube al púlpito, es el pastor que alimenta y, si cada ministro tuviera esto en mente, muchos sermones serían diferentes.

La maldición del púlpito se encuentra en la superstición de que un sermón es una obra de arte, en lugar de ser un pedazo de pan o de carne. Se supone que debe ser una declamación, una oratoria o una disertación aprendida, algo fino y elegante para que los santos adulones lo admiren, aplaudan y comenten, o los pecadores irracionales de dura cerviz lo critiquen. Los sermones, cuando se los entiende correctamente, son principalmente alimentos. Son artículos de dieta. Son comidas servidas por el ministro para el sustento de la vida espiritual. Si los ministros pudieran recordarlo, eso les ayudaría a deshacerse de su lenguaje forzado y sus realces retóricos a liberarse de su grandilocuencia, y a quemar sus introducciones ornamentales y elevadas peroraciones.

La Labor del Pastor

La labor del pastor es sencilla y humilde. ¿Qué pastor verdadero ha tratado alguna vez de armar un espectáculo? Un pastor tiene sus ojos fijos en las ovejas, y su primer interés es que las ovejas tengan suficiente para comer. Alimentar a las ovejas no es algo romántico, el elemento poético en esta acción no es algo que llama la atención. No es un acto que se puede hacer con florituras. Es un trabajo prosaico pero vital, y nunca se lo realiza correctamente, a menos que lo haga un hombre que tenga un corazón honesto y sincero. Hay pocos predicadores que predican con la sencillez necesaria. Su lenguaje es demasiado académico y su estilo es demasiado enredado. Quieren ser Demóstenes o Cicerón, mas no están contentos con ser pastores.

Se podría escribir un libro interesante sobre la predicación pastoral, una predicación que individualiza y alimenta. Cómo hacer sermones que se transfieran con facilidad a la sangre, cómo explicar textos bíblicos de tal manera que suministren nutrientes a los nervios del sentimiento y la acción, cómo ofrecer la verdad para que satisfaga los apetitos del corazón humano y lo fortalezcan para hacer la voluntad de Dios. ¿Acaso no sería esa predicación uno de los problemas principales del ministro? ¿Y cree usted que se le ha dado la consideración suficiente? La labor pastoral no es simplemente hacer visitas sociales; el trabajo de un pastor también es predicar. El ministro no deja de ser un pastor cuando sube al púlpito; en ese momento él asume una de las tareas más exigentes y serias.

A veces escuchamos que se dice de un ministro: "Es un buen pastor, pero no puede predicar". Esa oración se contradice a sí misma. Ningún hombre que no sabe predicar es un buen pastor, del mismo modo que ningún hombre puede ser un buen pastor si no alimenta a su rebaño. La alimentación es un elemento indispensable del pastoreo. El sermón es una de las áreas más excelentes y efectivas de toda la labor pastoral. En un sermón puede advertir, proteger, guiar, sanar, rescatar y nutrir. El pastor en él asciende a una estatura superior en el púlpito. Está bien que un ministro se pregunte de vez en cuando: "¿Soy un buen pastor en el púlpito? ¿Estoy manteniendo a la gente demasiado tiempo en este campo en particular porque a mí me gusta el paisaje desde este punto de vista? ¿Los estoy obligando a que pasten demasiado tiempo en un pastizal favorito? ¿Han mordisqueado todo lo verde hasta dejar solo tierra y ahora tienen hambre del pasto que crece en la montaña? Cuando predico, ¿estoy cumpliendo con la labor de un pastor? ¿Estoy alimentando a los corderos o me estoy exaltando a mí mismo? ¿Estoy alimentando a las ovejas o me estoy agradando a mí mismo? ¿Estoy jugando con palabras o compartiendo el pan? ¿Estoy remontándome en las alturas como un águila o satisfaciendo el hambre? ¿Soy un asalariado que predica para recibir aplausos, o soy un pastor que alimenta las almas?". No hay nada que doblegue tanto a un ministro en su preparación del sermón y que, por tanto, discipline su estilo tanto como afrontar la idea del pastoreo. Cristo era el gran maestro y, por esa misma razón, era también el Buen Pastor. Un pastor hábil en su trabajo nunca se olvida de alimentar a su rebaño.

Uno que Ama

El pastor oriental hacía una cosa más: amaba a las ovejas. Las amaba de un modo desconocido para los pastores occidentales. Sus relaciones con ellas eran más cercanas y tiernas que cualquier cosa que se encuentre en el mundo moderno de la crianza de ovejas. La solitud de aquellas tierras orientales creaba una maravillosa intimidad entre la vida animal y la humana. A hombre y bestia los estrechaban lazos hermosos y sagrados.

Allí brotaba rápidamente el cariño de las ovejas para su pastor, así como el afecto del pastor por las ovejas, que se demostraba de muchas maneras. Este es un precioso detalle: "A sus ovejas llama por nombre" (Juan 10:3).

No era necesario que él pusiera nombre a cada oveja, pero lo hizo porque las quería. El amor siempre individualiza. Se deleita en acuñar apodos. No es amor si no es personal e íntimo. Este es otro detalle: "En su brazo llevará los corderos, y en su seno los llevará" (Isaías 40:11). No era necesario que él lo hiciera, pero lo hizo porque los quería.

Cuando el pastor no estaba vigilando, guardando, sanando, salvando o alimentando, estaba haciendo algo mucho más bello que cualquiera de estas cosas: tenía comunión con las ovejas, jugaba con ellas, las hablaba y entraba hasta lo que era posible para un ser humano en su pobre vida animal. El resultado era que las ovejas eran leales al pastor. Conocían su voz, todas sus cadencias eran música, cada inflexión era una inspiración. El pastor oriental amaba a las ovejas, y era a causa de su apego a ellas que, en los momentos de peligro, no pensaba en sí mismo, sino en ellas. Al defenderlas, estaba dispuesto a entregar su vida. Esta era la virtud suprema del pastor palestino: su amor sacrificial.

Es también la excelencia suprema de todos los pastores de las ovejas de Cristo. Pablo les dice a los colosenses: "Y sobre todas estas cosas vestíos de amor, que es el vínculo perfecto" (Colosenses 3:14). Pablo considera que el alma está vestida con virtudes cristianas. Alrededor de estas hermosas manifestaciones del espíritu cristiano debe arrojarse la mayor de todas las virtudes: el amor. No importa qué otras virtudes pudiera tener un pastor de las ovejas de Cristo, si no tiene amor, es pobre y desnudo. Debe tener muchas virtudes, pero la que otorga vitalidad a todas las demás, la que las une a todas es el amor. Él tiene varias tareas por hacer, pero su trabajo supremo es amar. Si él ama, hará todas las cosas que los pastores deben hacer. ¡Guardará!

¿En qué momento ha tenido el amor párpados somnolientos? El amor puede superar la noche más larga. Él guardará. El amor protege con un cuidado celoso. El amor protege de todos los peligros. ¡Él guiará! El amor tiene ojos que miran a lo lejos. El amor detecta las trampas y encuentra caminos seguros para entrar en la tierra de paz. ¡Él sanará! Las manos del amor son delicadas. El amor venda las heridas. ¡Él buscará y salvará! El amor no puede dormir mientras su ser querido se encuentra en medio de la tormenta en la montaña. ¡Él dará alimento! El amor es el que nutre en el banquete de la vida. El amor satisface.

Si desea conocer, entonces, la labor de un pastor, mire a Jesús de Nazaret, el gran pastor de las ovejas que se erige frente a nosotros para siempre como el modelo perfecto del pastoreo, como el ejemplo sin defecto para todos quienes han sido confiados con el cuidado de las almas. Él dice: "Yo soy el Buen pastor. Yo cuido, yo guardo, yo guío, yo sano, yo rescato, yo alimento. Yo amo desde el principio y amo hasta el final. ¡Sígueme!".

3

La Oportunidad del Pastor

Todos han oído que el tiempo del predicador quedó en el pasado. La imprenta le ha quitado su trabajo. El predicador sigue hablando, pero lo hace frente a una congregación que decrece, y tarde o temprano todas las bancas quedarán vacías. La decadencia del púlpito es uno de los temas populares en la actualidad. El contraste entre el moderno púlpito pigmeo y el púlpito gigante de una era pasada es un asunto que festeja la gente de espíritu travieso.

Y ahora está comenzando a susurrarse que el tiempo de los pastores también quedó en el pasado. El mundo moderno no tiene necesidad de un pastor. El típico pastor de las generaciones pasadas es una figura anticuada para la que no hay cabida en la era de nuestro mundo moderno. La antigua costumbre de catequizar a los niños de casa en casa, de reunir hogares enteros para la lectura de la Biblia y la oración, los oficios paternales de la consejería y la amonestación, y el ministerio íntimo y lleno de gracia de la guía espiritual, todas estas cosas han pasado de moda. El mundo dejó atrás la necesidad de un pastor. La educación ha hecho que los hombres sean aptos para pensar y actuar por sí mismos. El hombre ya no es una oveja. Cada hombre es su propio pastor. La guía pastoral es una impertinencia. La riqueza ha aumentado y ha traído consigo una nueva sensación de autoconfianza e independencia, que no admite la interferencia de un representante eclesiástico.

Los hombres ahora tienen muchas ayudas que no poseían en los días de antaño. Una multitud de revistas y libros proporcionan toda la información y el estímulo que necesitan. El pastor no sabe nada que no le sea posible conocer al laico estudioso. Al igual que los demás hombres, el pastor podría hacer visitas sociales y conversar sobre los temas de interés actual, pero ya no existe la antigua necesidad de atención pastoral. Cualquier guía que se requiera la obtendrán de los líderes que hablan a través de la tinta de la imprenta. Aparte de esto, los hombres viven días extenuantes y no tienen tiempo para que un pastor les hable. Los negocios son negocios y no pueden dejarse de lado ni siquiera por un momento en la presión actual. Las multitudes salen de sus casas para ir a trabajar temprano por la mañana y regresan exhaustas en la noche. Por una gran parte del día, los niños están en la escuela y durante la tarde las mujeres están absorbidas en sus funciones sociales. Generalmente no hay una hora del día en que un pastor pueda reunirse con toda la familia. Por lo tanto, nadie espera con entusiasmo la llegada del pastor. Él está ocupado, al igual que todos los demás, por lo que el servicio pastoral deja de ser solicitado y, en consecuencia, se vuelve superficial y se lo puede dispensar sin pérdidas. En las grandes ciudades, las dificultades son usualmente grandes. No existe un sistema parroquial entre nuestras iglesias protestantes, y los miembros de cada congregación están dispersos en áreas extensas, lo que causa que la visita pastoral sea tan laboriosa que los miembros de las iglesias en grandes cantidades dejen de exigírsela a su ministro. Más aún, una sección considerable de la sociedad ha adoptado hábitos nómadas. Hombres y mujeres migran al sur durante el invierno y al norte durante el verano, y hasta cruzan el Atlántico entre estaciones, y ocasionalmente viajan por el mundo. Miles de cristianos poseen casas de verano en las que viven gran parte del año. Los meses del invierno en la ciudad son tan ocupados que la atención pastoral parece una imposición. La civilización moderna ha llevado al pastor a la frontera y cortésmente le mostró la salida.

Esta es la conclusión de muchos, pero está equivocada. La era del pastoreo acaba de empezar. Nunca ha sido tan necesaria como ahora. Nunca ha habido tantas cosas importantes que el pastor debe hacer. Por supuesto que no puede realizar su trabajo a la antigua. El viejo orden cambia constantemente. Nuevas ocasiones enseñan nuevas obligaciones, y el tiempo hace que las formas antiguas de hacer las cosas se vuelvan ordinarios. Ya no se requiere el pastor de los viejos tiempos con sus trajes coloniales, sino que el mundo espera un pastor que pueda suplir las necesidades del presente. En un sentido, el mundo siempre está cambiando y, en otro, siempre será el mismo. El vapor y la electricidad alteran muchas cosas, pero a otras no las toca. No han cambiado los procesos de crecimiento de un grano de maíz, ni han modificado los apetitos y las pasiones del corazón humano. El alma es ahora lo que ha sido desde el comienzo, y hoy, como siempre, necesita el cuidado de un pastor.

La civilización transforma la superficie, pero deja intacta la vida interior. Las escuelas y universidades no dejan obsoleto el trabajo del pastor. Los jóvenes que ahora salen de las universidades tienen tanta necesidad de guía pastoral como cualquier hombre en el mundo. Miles de ellos están confundidos en su pensamiento religioso, pero todavía no tienen la capacidad de conciliar las enseñanzas de Cristo con lo que han aprendido de sus profesores. La fe tradicional ya no es sostenible, y no han adquirido otras creencias que tomen su lugar. ¿Acaso alguien supone que un diploma universitario vuelve inmune a un hombre a todas las enfermedades, de modo que ya no necesita un médico? ¿Por qué, entonces, se imagina que un curso universitario eleva a un hombre por encima de la necesidad del poder sanador de un médico enviado por el Hijo de Dios?

Aquello que la educación no puede hacer va también más allá del poder del dinero. El dinero podría volver a los hombres idealistas y endurecer sus corazones a la influencia de un consejero espiritual, pero las necesidades del rico son tan grandes como las de su hermano más pobre. ¿Acaso no dice nuestro Señor que es difícil para el rico entrar en el Reino de Dios? Si esto es cierto, el rico tiene una necesidad especial de asistencia, ¿y quién es más apto para ofrecerle esa ayuda que el pastor? Los ricos se parecen más a los pobres de lo que a veces se admite. Ambos están expuestos del mismo modo a las tentaciones, ambos sufren del mismo modo decepciones y tristeza. Enfermedad y muerte llegan a los hogares tanto de ricos como de pobres, así como la desolación de la pérdida y la oscuridad de la duda y la desesperación. Los hombres ricos con sus manos llenas de oro pueden perder los sublimes tesoros de la fe, la esperanza y el amor y, a pesar de que viven en casas lujosas, pueden ser miserables, pobres, ciegos y desnudos. Es un gran error suponer que las personas pudientes no tienen la necesidad de un pastor. El ministro sería indigno de su llamado si descuida o desprecia a los ricos. Es un engaño popular que los pastores siempre se inclinan a dedicar más tiempo al rico que al pobre, cuando en verdad es que el pastor promedio no tiende a descuidar a los pobres tanto como a los ricos. Muchos ricos no hubieran perdido su fe temprana ni se hubieran degenerado hasta volverse haraganes sociales y mundanos faltos de conocimiento, si hubieran recibido un mayor cuidado pastoral continuo y fiel.

No existe una clase más desatendida en nuestras grandes ciudades que los ricos. La labor pastoral en una comunidad adinerada es mucho más difícil que en una comunidad que es pobre. Era mucho más fácil para Cristo ayudar a un hombre pobre que al rico, y esa ha sido la misma experiencia de todos sus ministros. Pero los ricos, en los días de Cristo, siempre tuvieron su compasión y atención, y él les hizo abundantes ofertas de su gracia. El mendigo más pobre y el publicano más rico en Jericó recibieron del mismo modo la generosidad de Cristo. El dinero nunca restará la ocupación del pastor, ni la imprenta tomará su lugar. En vez de dejar de lado la labor del pastor, los libros le dan infinitamente más trabajo por hacer. Es el material escrito el que causa una gran cantidad de daños en nuestro mundo moderno. Muchos falsos profetas han viajado al extranjero y van vestidos de libros. Todo tipo de lobos y jacales, de serpientes y aves de rapiña también avanzan por el mundo, dispersando y despedazando a las ovejas. La literatura de la incredulidad es enorme, y millones la están leyendo. Necios y bailarines, ignorantes y fanáticos, truhanes y traviesos de todo tipo escriben para los periódicos y revistas, y plasman en libros sus pensamientos superficiales, sus bajos ideales y sus caprichos pestilentes en el mundo. Cualquiera, sin importar cuán fatuo en la mente y corrupto en el corazón sea, puede escribir un libro y encontrar una multitud que lo lea. Nociones falsas, verdades a medias, razonamientos superficiales, antojos salvajes, alucinaciones locas, profecías absurdas, filosofías pretenciosas e interpretaciones que oscurecen arrasan por el mundo como un diluvio. Las mentes inmaduras, enfermas, desinformadas e incapaces utilizan la imprenta para diseminar conspiraciones y programas que, si se adoptaran, descompondrían el mundo. Nunca ha habido tanta necesidad de cerebros juiciosos y pensamiento cuerdo como ahora. Nunca ha habido un clamor tan fuerte por pastores cualificados por dotes naturales y capacitación para sacar a los hombres de las ciénagas de las opiniones erróneas y guiarlos a las colinas de la verdad cristiana.

La persona que entra en contacto cercano con los hombres individuales se asombra con frecuencia con las nociones pervertidas y las curiosas interpretaciones erróneas del cristianismo que en ocasiones se alojan en las cabezas de hombres que aparentemente son inteligentes. Incluso personas que han asistido a los servicios de la iglesia por años traicionan en ocasiones la ignorancia más sorprendente en relación con las cosas que uno pensaría que hubieran dominado en la infancia. La enseñanza desde el púlpito no llega en miles de casos a la necesidad especial de la mente individual. Es solamente al hablar cara a cara con una persona, como Cristo habló cara a cara con Nicodemo y con la mujer del pozo, que se puede alcanzar la raíz de la dificultad y disipar la oscuridad. La imprenta ha creado nuevos reinos para que el pastor los conquiste.

Es verdad que el problema pastoral en las grandes ciudades es peculiarmente complicada y desconcertante, pero nadie que conoce la ciudad moderna negaría que la ciudad necesita al pastor. Es aquí donde las multitudes nos hacen pensar en las multitudes que recordaron a Jesús de las ovejas dispersas y sin pastor. Es la tragedia de la ciudad que tales multitudes no tengan nadie que cuide de ellas. Miles de jóvenes están ahí sin padres, sin amigos fuertes que les den consejo. Miles de jovencitas están allá sin una madre y sin nadie que tome el lugar de una madre. Miles de hombres y mujeres de edad madura están allí, con su salud quebrantada y así también su esperanza, que han abandonado los ideales de su juventud. Los mayores están allá, mirando con melancolía el cielo occidental, llenos de dudas. Ciertamente es difícil para el pastor alcanzar a una multitud tan grande, pero que una tarea sea difícil no es razón para abandonarla. Después que el escéptico ha pintado el cuadro de la situación de la ciudad con los tonos más negros posibles, y ha agregado en él todas las dificultades y obstáculos para el servicio pastoral que sus ojos han visto o su mente ha concebido, el verdadero ministro de Cristo no se sentirá intimidado, sino que se lanzará de inmediato a la labor pastoral con un corazón valiente. Es una tarea que requiere una sabiduría extraordinaria, una paciencia constante, una fidelidad laboriosa, una habilidad para la esperanza, una fe duradera y un amor sin límites, pero no existe ninguna otra que sea más claramente la obra que Cristo desea que sus siervos lleven a cabo, ni de cuyo fiel desempeño dependa más evidentemente el futuro de la humanidad. Se debe salvar las ciudades, y son los pastores quienes tienen que salvarlas.

Hay que reconocer que un pastor no tiene tan buenas oportunidades de brillar como se describió anteriormente. Existe una dignidad patriarcal y un esplendor que pertenecen al pastor de tiempos antiguos que nunca se podrán reproducir. Nuestro pastor moderno no puede ser tan llamativo. No puede pararse en un pedestal. No puede ser tan pintoresco, pero todavía puede ser útil y, después de todo, en la mente de Jesús este es el mayor honor que podrían alcanzar los mortales. El pastor moderno puede ser levadura. Puede ser sal. Puede ser luz. Puede ir de un lugar a otro haciendo el bien. Puede dar. Puede ser el siervo de todos. Puede entregar su vida. El Dios que construye el mundo de nuestros días ha dejado en él un lugar grande y glorioso para el pastor.

Midamos las dimensiones de la oportunidad para el servicio pastoral que se nos presenta. Fijémonos, en primer lugar, cuán extremadamente lo necesitan nuestras iglesias. Durante los últimos diez años, hemos oído constantemente de cómo la asistencia a las iglesias va decreciendo y se reducen las adhesiones, disminuye la membresía de la escuela dominical, no en uno, sino en muchos distritos del mundo cristiano. Hay quienes sienten que la iglesia ha caído en una crisis y los hombres se preguntan si Jesús es en realidad aquel que estábamos esperando o si es hora de comenzar a buscar a otro.

A la par de la disminución de números en nuestras iglesias, institutos de Biblia y seminarios de teología, también se ha reducido continuamente el pastorado. Los ministros no se quedan con sus iglesias como solían hacerlo. Después de uno, dos o tres años, tanto el ministro como la gente están felices de cortar con la relación pastoral. El pastor parte para buscar nuevos pastizales, se nombra un nuevo comité y se lleva a cabo una vez más el calvario de encontrar al hombre ideal. A veces el ministro se queda, para la consternación de muchos. La paz de la congregación no es lo que debe ser, hay descontento en el corazón del ministro e insatisfacción en los corazones de la gente. Quizá nunca haya habido tantas congregaciones impacientes y criticonas como en la última década.

Se han hecho varios esfuerzos para lidiar con la situación. Distintos médicos han dado diagnósticos diferentes, y los remedios prescritos han sido diversos. Un hombre dijo: "Enriquezcamos el servicio; la gente no viene a la iglesia porque la adoración es aburrida. Tomemos prestados elementos varios de otros rituales y adornemos el orden de nuestro servicio: así lograremos que la iglesia se vuelva atractiva para muchos que hasta el momento han permanecido alejados".

Alguien más dijo: "Revisemos nuestro credo. Es demasiado largo y académico. Los hombres de nuestros días se ofenden por las doctrinas formuladas en un lenguaje del pasado. Escribamos un credo más corto. O, ya que muchos hombres son escépticos en lo referente a lo que alguna vez se denominaba fundamental, deshagámonos completamente de todos los credos. Así crearemos una puerta abierta y amplia para que entren las multitudes".

Otro dijo: "Promocionemos nuestros servicios. Contemos a la ciudad lo que estamos haciendo. La publicidad es legítima; usemos los periódicos e inundemos la ciudad con tarjetas de invitación, proclamemos a voz en cuello el hecho de que todos son bienvenidos. De este modo los hombres sabrán que las cosas avanzan y que la iglesia está interesada en sus almas".

Otra persona más hizo este comentario: "Organicemos al hombre, agrupémonos en ligas y clubes. Hasta ahora, nuestros hombres solo han logrado poco. Hagamos que se interesen en misiones y en diversas formas de actividad eclesiástica, y entonces el Reino de Dios vendrá con poder".

Y otro más ha sugerido: "Traigamos un evangelista, un hombre que tenga la genialidad para captar la atención pública. Lo que se necesita es un profeta con lengua de fuego que pueda atraer y mantener a las personas, forzándoles a tomar una decisión por Cristo y la iglesia. Organicemos reuniones masivas, con un coro enorme y grandioso, y convenceremos a la gente renuente a que entre por el puro atractivo del programa".

Otro dijo: "No podemos hacer nada con nuestro predicador actual. Es un buen hombre, pero no puede predicar. Tiene buenas intenciones, pero su lengua es tediosa. No tiene la grandeza suficiente para este campo tan excepcional. Puede que le vaya bien donde la gente tiene menos cultura, pero para una congregación tan crítica y fastidiosa, un tipo diferente de hombre es una necesidad".

Todos estos seis eruditos se han puesto de acuerdo en algo: en que lo esencial es que exista un encanto lo suficientemente fuerte que atraiga a los hombres adentro de un templo consagrado. La presuposición que tienen en común ha sido que la obra de Cristo es realmente próspera solo cuando se congregan multitudes en su nombre y que el problema supremo de la iglesia cristiana es cómo idear un servicio dominical tan atractivo que la gente no pueda alejarse. Por tanto, en muchos campos se ha probado uno o más de estos seis recursos. El servicio fue enriquecido y luego lo enriquecieron más. Lo llenaron de bordados, vuelos y dobleces. Fueron reduciendo su credo hasta que no quedó nada. La publicidad ha sido vívida y de grandes proporciones; la tinta de la imprenta ha fluido como ríos. Los hombres se han organizado y reorganizado, instruyéndose en el arte de llevar a cabo cenas en las que solo expertos ofrecen consejos elocuentes. Evangelistas de gran prestigio han proclamado su estimulante mensaje, y después siguieron con prisa por su camino. Un ministro ha sido reemplazado por otro, con la esperanza de que Crisóstomo, el "boca de oro", finalmente aparezca.

Pero ¡qué lástima!, después de probar todos estos remedios, el estado final de la iglesia, en muchas ocasiones, ha quedado peor que el primero. La iglesia actual tiene que lidiar con una generación de dura cerviz, y estos experimentos prometedores parecen impotentes para llevarla a los pies de Cristo. De vez en cuando alguien se ha aventurado a sugerir que la iglesia debería ir a donde está la gente, en lugar de que la gente venga a la iglesia, y la nueva idea se ha llevado a cabo por uno o dos meses con entusiasmo y muchas esperanzas. El ministro ha cerrado su iglesia para ir al teatro o a una tienda en la esquina de alguna calle, llevando su mensaje a todos los que quieran escuchar. En esta misión innovadora, algunos de los fieles lo han acompañado, felices de mostrar que, por medio de la crucifixión de sus gustos e inclinaciones, deseaban sinceramente llevar a cabo la obra del Señor. Pero, a pesar de todos estos esfuerzos, la prosperidad perdura y veintenas de iglesias se han sentido avergonzadas y derrotadas. Después de un espasmo de entusiasmo, la vieja frialdad la vuelve a invadir. Hubo multitudes por una temporada, y después se hizo tan evidente que las viejas bancas quedaron tan vacías como en un inicio.

Muy pocas veces se ha reconocido que la solución del problema yace en el pastor, uno que debe ir donde están las ovejas, pero no con una gran declamación, sino con un corazón que ama, que consuela y que sana. El pastor debe vivir con la gente, pensar con su mente, sentir con su corazón, ver con sus ojos, oír con sus oídos, sufrir con su espíritu. Debe cargar sus dolores y llevar sus tristezas. Debe ser herido por sus transgresiones y molido por sus iniquidades. El castigo de su paz debería estar sobre él y con sus llagas deben ser sanados. Todos se descarriaron como ovejas y él debe estar dispuesto a cargar con el pecado de todos ellos. Es la nota sacrificial en el ministerio que demasiadas veces hace falta estos últimos días.

El ministro se ha vuelto en extremo un hombre de libros. Como los antiguos escribas, es un erudito y en ocasiones es pedante. Cuando el Buen Pastor apareció en Galilea, el contraste entre él y los demás pastores se percibía de inmediato. Había una compasión en el tono de Jesús y una delicadeza en su tacto que demostraron al instante que él estaba con la gente en sus tristezas y sus luchas. El principal problema con la iglesia moderna es que en demasiadas localidades ha perdido el contacto con la vida de la ciudad. Está desactualizado con las almas de los hombres en sus perplejidades y necesidades, y por tanto no puede influir en ellas.

La impresión por todas partes es que el cristianismo es un discurso bonito, un poquito de idealismo, un bello sueño, una estrofa de poesía, una pieza de actuación dominical, algo que el predicador puede decir de memoria, a lo que los santos pueden responder "amén". No lo consideran una vida cotidiana sobria, seria. Lo que más desea el mundo hoy en día es el pastoreo. El mundo tiene muchas comodidades, lujos en abundancia; lo que le falta es amor. El amor no se puede expresar satisfactoriamente a nuestra generación a través de la tinta de la imprenta, de llamados evangelísticos, de la elocuencia en el púlpito o de las declaraciones doctrinales. La expresión que el mundo exige ahora es el amor del pastor que lleva a los corderos en su regazo, que guía delicadamente a aquellos que tienen crías, y quien día a día entrega su vida por las ovejas. En la generación anterior, la Palabra de Dios era la Biblia; hoy en día la Palabra de Dios es Jesús, y el hombre que tiene el espíritu de Jesús. Un creyente genuino es la única epístola que al mundo le importa leer. A las multitudes les interesa poco la adoración y menos la estructura de la iglesia, aún menos les interesa los credos, y no tienen interés alguno por las tradiciones y ceremonias. El carácter es todo. La obra del pastoreo es la labor por la cual la humanidad está clamando. El siglo XX es el siglo del pastor.

La disminución de puestos pastorales se debe a que la ternura y el aspecto sagrado de la antigua relación pastoral se están desvaneciendo. La relación del ministro con la congregación actualmente se asemeja demasiado a la de un orador de plataforma con una audiencia, a la de un reformador con una comunidad, a la de un ingeniero con una máquina, pero no es la relación de un amigo con su grupo de amigos. Si el ministro es solamente un orador de domingo, puede irse de la ciudad en cualquier momento y nadie se pondrá triste. Si solo es un reformador público, puede partir al final de cualquier semana y muchas personas se alegrarán. Si es un maquinista, un experto en administrar organizaciones, su lugar puede ser reemplazado fácilmente por otro; los ingenieros abundan. Si es un pastor, si conoce a sus ovejas por nombre y si sus ovejas conocen su voz, no puede pasarse de un rebaño a otro sin que haya una gran soledad y pesadumbre de espíritu, y sin heridas profundas en los corazones de quienes deja atrás. Esto se debe a que la idea del pastor es débil y la del orador o predicador es tan predominante, hasta el punto en que las iglesias tienen la capacidad de cambiar de ministros sin la más leve preocupación, y que estos puedan pasar de una parroquia a otra con ligereza de corazón e incluso con regocijo. Si la iglesia de Cristo quiere salvarse, debe nacer de nuevo a la gloria de la idea del pastor.

No se puede disputar que hoy en día existe una multitud que necesita ser pastoreada. La situación moral y religiosa del presente es demasiado bien conocida como para que se exija una descripción aquí. Ha sido fotografiada una y otra vez, impresa a colores, y han puesto las fotografías delante de nuestros ojos, de modo que no hay excusa para las nociones confundidas relacionadas con la condición presente de la humanidad. Es un mundo sombrío en el que caen las luces eléctricas de nuestra brillante civilización. Cuando Jesús vio las multitudes en Galilea, de inmediato pensó en un rebaño descuidado de ovejas. Los pastores de Palestina no habían cumplido con su deber. La grave situación de la gente era digna de conmiseración. Mateo dice que Jesús fue movido a compasión porque la gente era como ovejas desamparadas y dispersas. La descripción es vívida.

"Desamparadas" significa abandonadas, dejadas sin amparo ni favor. En la otra palabra, "dispersas", tenemos la imagen de muchas ovejas arrojadas, una o dos yacen en un lugar, unas pocas en otro lugar, y un grupo más en un tercer lugar. La unidad del rebaño está rota a causa de los ataques de los enemigos y la falta del cuidado de un pastor.

No existen mejores palabras para ilustrar la situación actual. ¿Acaso al presente no son las multitudes desamparadas en cuerpo, alma y estado? Es una época de reconstrucción, reorganización, reajuste. Movimientos poderosos tienen lugar en los mundos industrial y comercial. Las condiciones fluctúan, el trabajo es inestable, los puestos laborales son inseguros. El dinero crece alas y se va volando. Aun los gigantes son empujados sin misericordia contra la pared. Es una época para hacer dinero y los hombres son acosados por el afán de las riquezas. Las grandes fortunas traen consigo ansiedades multiplicadas, y la visión de una riqueza colosal produce en muchas mentes envidias amargas y descontento febril. Es una época de máquinas. El acero y la electricidad realizan una gran parte del trabajo, pero nunca habían estado los hombres tan agotados y cargados que ahora. Las multitudes se quedan perplejas en relación con las cosas del espíritu. Es una época de nuevas ideas, interpretaciones novedosas, hipótesis atrevidas, innovaciones audaces. Todo es objeto de un ataque furioso. La industria de la imprenta, al dar voz a los pensamientos y la imaginación de una multitud de mentes, ha convertido a la tierra en una torre de Babel, y los hombres viven en un remolino de confusión. Las dificultades intelectuales y perplejidades prácticas se combinan para causar la agitación actual. ¿Qué debo pensar? ¿Qué debo creer? ¿Por cuál camino debo andar? ¿Qué debo hacer? ¿Qué es verdadero? ¿Qué es correcto? ¿Cuál es la obligación? Estas preguntas surgen en este extraño, complejo, discordante, confuso siglo XX. Sin duda, el mundo actual clama a gritos por dirección. La aflicción de la multitud es un grito a los oídos de la iglesia de Dios, que clama por pastores.

Los hombres están desamparados y dispersos. Fuerzas irresistibles los han distanciado. Millones han pasado de un país a otro. En la ciudad de Nueva York, casi dos millones de hombres y mujeres blancos nacieron en tierras extranjeras. Otros millones han pasado de la vida rural a las ciudades. Los viejos hogares están quebrantados, se cortaron los viejos lazos, las familias están dispersas. Las fuerzas industriales conducen a los hombres a grupos y clases diferentes. El proveedor y el capitalista nunca han estado tan lejos como ahora. La gente se clasifica según sus recursos financieros. Toda ciudad tiene sus avenidas elegantes y sus barrios bajos mugrientos. Los hombres están segregados por fuerzas sobre las que no tienen control.

Hay abismos sin puentes, tan profundos como la sima en la parábola de Dives y Lázaro. El resultado es una enorme masa de sospechas, envidia y mala voluntad. Grandes secciones de la sociedad viven en amargura. Los contrariados se cuentan por decenas de miles. Si el odio es asesinato, entonces el mundo hoy en día se mantiene en un estado emocional homicida. Hay vecindarios en los que la iglesia no puede hacer obras grandes a causa de estos alejamientos sociales. Hay otros barrios en los que ni siquiera se escucha el mensaje de la iglesia, el prejuicio es tan obstinado y el resentimiento es tan amargo. Lo que la humanidad necesita en este momento es una gran hueste de pacificadores, hombres que sirvan como mediadores entre las clases hostiles de la sociedad. Lo que se necesita es el tono persuasivo, el acercamiento gentil, el tacto compasivo. Lo que se necesita hoy en día es el pastor antes que el heraldo, no el hombre que pueda transmitir proclamaciones elocuentes, sino el que va de un lado a otro haciendo el bien. Es fácil criticar un sermón, pero no es tan fácil burlarse de la buena voluntad manifestada de formas amorosas. El hombre que hace pedazos el credo sucumbirá ante los actos repetidos de bondad. Aun el escéptico al que le encanta decir que todos los creyentes son hipócritas y todos los predicadores son asalariados no puede levantarse constantemente contra la presión de un corazón amoroso. La impresión predominante en el mundo que no asiste a la iglesia es que los ministros son habladores, charlatanes pagados para decir cosas dulces y reconfortantes para el hombre que paga sus salarios. No hay nada que pueda romper su prejuicio como las obras sacrificiales de un pastor. Con frecuencia se discuten las siguientes preguntas: "¿Cómo podemos alcanzar a las masas que no asisten a la iglesia?". "¿Cómo podemos ganar al proveedor de una familia?". "¿De qué manera podemos convencer al hombre trabajador?". Es seguro decir que el orador no podrá ganarlo, ni tampoco el teólogo ni el doctor en filosofía ni el conocedor de literatura. Él se rendirá solamente ante el pastor.

En su descripción de la condición religiosa de sus días, Ezequiel agrega un toque que no se expresa en los dos adjetivos, desamparadas y dispersas. El profeta se explaya en el hecho de que las ovejas en su tiempo estaban dispersas y después añade: "Son presa de todas las fieras del campo" (Ezequiel 34:5). La descripción de ese día lejano es real en el tiempo presente. En todos los tiempos de escepticismo y confusión, los hombres fácilmente se vuelven víctimas de charlatanes y fanáticos. Aquellos que se apartan del cristianismo y se alimentan de bagazo tarde o temprano llegan a tener tanta hambre que se arrojan a los brazos del primer líder religioso pretencioso que se cruce por su camino.

Nada es más asombroso que la credulidad de aquellos que han encontrado al cristianismo demasiado duro de aceptar. No existe página de la historia reciente más triste que la que narra el surgimiento y la prosperidad de una multitud de movimientos religiosos que deben inevitablemente desparecer al final. Los

Estados Unidos, el país más orgulloso de todos por sus iglesias y escuelas, es un paraíso para los impostores y magos religiosos. Esto se debe a nuestra mundanalidad y la impiedad práctica de las clases grandes de nuestra gente de bien. El tipo de hombre representado en el Nuevo Testamento por Simón el mago nunca se ha extinguido, y la iluminada nación de los Estados Unidos está sumida en la ignorancia, tal como lo estaba Samaria, puesto que cada vez que Simón (o su esposa) aparece y declara de sí mismo que es un gran hombre, muchos le prestan atención, diciendo: "Este es el gran poder de Dios" (Hechos 8:10).

En todas las grandes ciudades pululan las sectas cuyos devotos se alimentan de diversos brebajes filosóficos, más o menos tinturados con el sabor cristiano. Los lobos son tan astutos como siempre, se engordan con las ovejas. Hombres y mujeres están tan indefensos como en la antigüedad. A menos que venga el pastor, son "presa para las fieras del campo". Ezequiel representa cómo Dios hace lamento por esta situación. "En toda la faz de la tierra fueron esparcidas mis ovejas, y no hubo quien las buscase, ni quien preguntase por ellas" (Ezequiel 34:6). La situación no es tan oscura como era antes. Miles de pastores fieles están en el campo, pero esa cantidad no es suficiente para la crisis actual.

La persona individual se escabulle y se pierde de vista. Muchas cosas conspiran para sumergirla. El motor a vapor dio pie para la creación de fábricas y molinos, se reunió a los hombres de sus hogares y pequeños negocios para que trabajaran en grupos en enormes edificios. En ese día dejaron de ser individuos y se degeneraron en "manos". El principio de la cooperación en el mundo de los negocios formó corporaciones, sindicatos y administraciones, mientras que el individuo desapareció en esta persona más grande creada por el Estado. El crecimiento de las ciudades tiene la tendencia de borrar los contornos de la individualidad, y los hombres, cuando se los aglomera, se olvidan de su valor individual.

"¿Qué importa lo que piense o diga o haga aquí en esta gran ciudad?". Tal es el soliloquio que se eleva espontáneamente de muchos labios. El énfasis del pensamiento moderno en la herencia y el entorno como influencias que controlan la vida humana ha logrado romper en multitudes el sentido de la responsabilidad humana. No se debe echar la culpa a los niños, ya que ellos son lo que son a causa de sus padres; y tampoco se debe culpar a los padres porque son el producto de la sociedad. De este modo, la conciencia individual queda opacada y la llama de la responsabilidad personal se apaga. Hoy en día se habla de los problemas sociales, la responsabilidad colectiva, las funciones institucionales. La sociedad se eleva imponente y el hombre individual mengua. Este es un llamado para el pastor.

El pastor tiene un ojo que individualiza. Ve a la oveja solitaria. Cuida de la necesidad personal. El buen pastor siempre dice: "Conozco a las mías y las mías me conocen". Él llama a sus propias ovejas por nombre. Es un hecho interesante que la última oración con la que podemos trazar la pluma de San Juan sea: "Los amigos te saludan. Saluda tú a los amigos, a cada uno en particular" (3 Juan 15).

Juan es el hombre que se acercó al corazón del Buen Pastor, quien narró en su Evangelio la alegoría en la cual Jesús dice que el pastor llama a sus propias ovejas por su nombre; y la última vez que Juan nos habla nos dice que no olvidemos este toque personal e individual. Ellos lo aprendieron del Maestro.

Uno de los capítulos más emocionantes en el Nuevo Testamento es el último en la carta de Pablo a los romanos. Es una lista de nombres que debería leerse con frecuencia en nuestras iglesias. Los nombres no significan nada para nosotros, pero significaban todo para los hombres y mujeres dueños de esos nombres, y nos debería animar cuando pensamos cuánto ellos se hayan animado cuando se leyó ese capítulo delante de la congregación. Pensamos en Pablo como un teólogo sin par; muchas veces no pensamos lo suficiente en él como un pastor ideal. Él era un pastor fiel, incluso hasta la muerte. En la prisión romana donde fue condenado a morir, al escribir su última carta, cierra con un párrafo que es bellamente pastoral: "Saluda a Prisca y a Aquila, y a la casa de Onesíforo. Erasto se quedó en Corinto, y a Trófimo dejé en Mileto enfermo" (2 Timoteo 4:19-20). Se podría decir que es extraño que la última epístola del más grande de los apóstoles termine con asuntos tan triviales e insignificantes. No es extraño. La forma en que Pablo termina su última carta y el estilo en el cierre de la última carta de Juan son una revelación: revelan el lugar que tiene el toque del pastor en la iglesia cristiana.

Vale la pena notar que Mateo relaciona la compasión de nuestro Señor por las ovejas que están desamparadas y dispersas con la exhortación: "Rogad, pues, al Señor de la mies, que envíe obreros a su mies" (Mateo 9:38). Hay una enorme labor pastoral que se debe llevar a cabo hoy en día, y los pastores son pocos. Una de sus obligaciones es seguir orando y enseñar a sus jóvenes a orar para que más obreros se pongan manos a la obra. Si esta es su oración y también la de su gente, tendrá dentro de poco un cuerpo de pastores voluntarios, capacitados y dirigidos por usted mismo, para llevar a cabo el servicio pastoral. Y cuando su iglesia crezca, usted tendrá adicionalmente uno o más pastores asalariados, de modo que cada forma de servicio pastoral sea atendida con rapidez y fidelidad. Si su iglesia está en una gran ciudad, tendrá un cuerpo de pastores, puesto que la iglesia suplirá las necesidades de la situación en la proporción de su efectividad en la ministración pastoral, y de este modo cumplirá con la labor que Dios en desea hacer prosperar en sus manos durante este tiempo.

Hay dos ideas en el entorno, las cuales influyen en muchas mentes: eficiencia y conservación. Uno lee estas dos palabras por donde va. Se han abierto camino en la conversación común. En todos lados los hombres preguntan: "¿Cómo puedo ser más eficiente? ¿Cómo puedo salvar aquello que está por desperdiciarse?". Los hombres de negocios están renovando su sistema y tratan de ver en qué punto pueden hacer mejoras. La intensidad de la competencia hace que sea necesario deshacerse de todos esos métodos incompetentes y derrochadores. Cada área del negocio debe llevarse al punto más alto de la perfección. Los hombres buscan resultados. Las máquinas deben producir la mayor cantidad de bienes posibles. Se debe mejorar la proporción entre la energía que se invierte y el producto que se obtiene. La fortuna depende de esto. La existencia continua del negocio depende de esto. Los estándares suben en todos lados. Lo que se consideraba suficientemente bueno hace diez años ya no se tolera hoy en día. Todo hombre de negocios capaz exige un grado mayor de eficiencia en cada departamento de su negocio.

En la agricultura, este movimiento ya ha logrado resultados asombrosos. Se descubrió hace poco que los agricultores no sabían cómo labrar la tierra. Eran ignorantes respecto a los suelos y la forma de obtener grandes cosechas. No sabían cómo sacar de un acre de terreno lo que un acre debería producir. Por tanto, en años recientes, los líderes expertos han hecho recapacitar a los agricultores, enseñándoles que el mal clima no era el resultado de la escasa cosecha, sino de los métodos inapropiados de trabajar la tierra. Se les enseñó a ir más debajo de la tierra y hacer guerra contra una hueste de insectos y gusanos que dañan las semillas. Los agricultores han aprendido que sembrar malas semillas no produce buenas ganancias. Los granjeros en Iowa tenían el hábito de sembrar tres granos de maíz por colina y se sentían satisfechos si podían lograr que creciera un tallo saludable con una mazorca de maíz que pesara 325 gramos. Pero ahora ya no están satisfechos con eso. Están aumentando el número de plantas madre y añaden al peso de la mazorca. La producción por acre, en algunos casos, se ha duplicado, triplicado y cuadruplicado, simplemente por ejercer más conocimiento.

Recientemente hubo unos veinte muchachos en representación de los *Boy's Corn Clubs* [Clubes de Maíz para Muchachos], que se reunieron en la ciudad de Washington como invitados del Departamento de Agricultura. Un muchacho había tenido éxito en el cultivo de un acre con quince veces más plantas de maíz de lo que produce un agricultor promedio. Por todo el mundo, los hombres trabajan para resolver el problema de cómo aumentar la producción del suelo. Ahora es cierto que nunca se ha comenzado a sacar de la tierra lo que está dispuesta a entregar, y que todas las profecías deprimentes que afirman que la población superará el poder del suelo para sustentarla son producto de la imaginación ignorante. Un hombre sabio dijo recientemente: "Debemos bajar a la tierra si queremos aprovecharla al máximo".

Es verdadero, del mismo modo, que, si el ministro desea aprovechar al máximo a su gente, debe bajar donde ellos están. La congregación es una granja. La congregación promedio no produce tanto como debería. Los hombres están en lo correcto al exigir una mejor cosecha de la iglesia. Considerando el número de sus asistentes, su riqueza y su cultura, la iglesia no está a la altura de las expectativas del presente. No hace lo suficiente para lograr mejoras sociales. Los ministros, al igual que los agricultores, deben fijarse el objetivo de estudiar la tierra de nuevo. La producción podría duplicarse y cuadruplicarse con un conocimiento más amplio y con destrezas más abundantes. Lo que se necesita es un nuevo estudio de la naturaleza humana y un cuidado más meticuloso de la vida individual. Hemos pasado demasiado tiempo en las nubes. Ha habido demasiadas generalidades, demasiada dependencia en los métodos a gran escala, demasiadas cosas malhechas, improvisadas y atolondradas, como para producir resultados satisfactorios. Si los agricultores pueden agregar una planta a la cantidad de cultivos que crecen en cada sembrío de maíz, ¿por qué los ministros no deberían incrementar, con dolores y oración, la cantidad de santos que ahora crecen en la congregación? Si los agricultores, al aplicar nuevos conocimientos, pueden agregar 85 gramos al peso de la mazorca promedio, los ministros posiblemente podrían aumentar, por la obediencia a las leyes de Dios, el peso del carácter cristiano en el miembro promedio de sus congregaciones.

"Muy pocos convertidos, muchos creyentes superficiales y achicados". ¿Acaso no es esta la acusación que se escribiría con justa razón en el muro de muchas iglesias? La obra que hacen los pastores en estos días rigurosos y exigentes debe ser mejor y más cercana, más inteligente y científica, más fiel y minuciosa, más personal y delicada de lo que ha sido en el pasado. La labor pastoral, es decir, conocer a cada oveja por nombre, darle a cada oveja la oportunidad de conocer al pastor, esta es la dirección en la cual se dirige una iglesia que ha despertado.

La otra idea, la conservación, ha ganado prominencia a causa de la pasión por la eficiencia. Esto se debe a que los hombres son sumamente prácticos y exigen mayores resultados, a que la idea del desperdicio ha llegado a ser intolerable. La economía ha llegado a ser una consigna entre las naciones de la tierra. ¿Cómo podemos utilizar los productos residuales? ¿Cómo podemos hacer producir la energía que ahora se derrocha? ¿Cómo podemos administrar las fuerzas que van al desperdicio? Esa es la pregunta que se hacen todos los hombres alertas en todo lugar. La población mundial está aumentando, se debe cumplir con una gran cantidad de trabajo. Se necesitan todos los recursos. No podemos darnos el lujo de permitir que nuestros tesoros se desperdicien.

La nación está marcando un ejemplo para toda nuestra gente. Ella inspecciona sus pantanos y se pregunta cómo se los puede convertir en granjas fértiles. Ella mide sus desiertos y crea planes para irrigarlos. Ella calcula el valor de sus bosques y toma medidas para prevenir su destrucción. Los diversos estados independientes estiman el poder de sus cascadas y calculan el trabajo que podrían lograr. Los hombres miraron con envidia al Niágara hasta que sacaron de él tanto electricidad como luz. Ahora miran con envidia las mareas y la pregunta hoy en día es cómo hacer que el Océano Atlántico trabaje para nosotros, creando nuestra luz y nuestra calefacción. Los recursos materiales están siendo escrutados con un ojo económico y se los utiliza con una mano más ahorradora y frugal. Sin embargo, es en este tratamiento de la vida humana que se ejemplifica mejor al genio de nuestra época. Qué tremenda hueste de expertos trabajan en el problema de la alimentación y la nutrición, la salud y la enfermedad. La vida humana hasta el momento se ha desperdiciado terriblemente. Se han sacrificado miles de vidas a la incompetencia del gobierno, decenas de miles a la ignorancia de las personas. El mundo está despertando al valor de la vida. La terrible tasa de mortalidad infantil no está de acuerdo con la voluntad de Dios. No se ha cuidado a los bebés de manera apropiada y esa es la razón por la que tantos han muerto. No es la voluntad agradable de Dios que las enfermedades llenen nuestros cementerios con tumbas prematuras. Las ciudades le han declarado la guerra a la tasa de mortalidad, y ya se ha reducido de forma asombrosa.

En los grandes laboratorios de investigación en ambos lados del mar, los hombres estudian los valores alimenticios y califican artículos dietéticos, según su poder para producir energía. Están dominando el arte de repeler las enfermedades. La profilaxis, o el arte de prevenir la enfermedad, se ha convertido en la prioridad; y una nueva clase de medicinas, los profilácticos, tienen precedencia sobre los demás. El bisturí solía ser mortal hasta un extremo que ahora nos espanta, pero los antisépticos han hecho que la mayoría de las operaciones quirúrgicas sean seguras.

Los especialistas están ahora trabajando para descubrir cómo acelerar los procesos de recuperación y dar salud más rápidamente a los tejidos deteriorados por la enfermedad. La era presente está interesada en la vida, la vida física, la vida del cuerpo, hasta cierto grado, como nunca. Estamos comenzando a aprender cómo vivir. La duración de la vida se incrementa. Los hombres solían ser ancianos a los sesenta, pero ahora hay multitudes que llegan a los setenta sin ser ancianos. Llegará el día en que los hombres que obedecen las leyes de Dios no serán ancianos a los ochenta. Si no podemos agregar un centímetro a nuestra estatura, al menos podemos alargar la duración de nuestra vida terrenal si sabemos cómo vivir.

Esta es la oportunidad del pastor para recolectar indicios para su propia superación en el arte de salvar almas. No es necesario que se desperdicie tanta energía espiritual, no es la voluntad de Dios que tantas almas perezcan. La medicina nos ha dado una pista. El médico moderno no es otra cosa que un individualista. Los médicos jamás tratan a los hombres en multitudes. "Un paciente a la vez", esa es la regla en todos los hospitales del mundo. Cada paciente tiene su propio historial médico en la cabecera de su cama. Ahí se anota con cuidado la temperatura de su sangre, el latido de su pulso, el número de sus respiraciones. Cada paciente tiene su propia dieta, sus remedios especiales y un tipo particular de cuidados. Es esta vigilancia en vela, este cuidado alerta, esta observación de minuto a minuto y la delicada precisión del tratamiento del hombre individual la que ha llenado el mundo moderno de milagros y ha otorgado a los médicos del cuerpo su incomparable prestigio. La tasa de mortalidad de las ciudades no se redujo por los métodos espectaculares y panorámicos, sino por el cuidado amoroso de un bebé, por la fiel asistencia a un solo paciente que, sin este cuidado y asistencia, hubiera muerto. Si adoptáramos la misma política en nuestras congregaciones, nos traería los mismos resultados asombrosos.

Bajo nuestro sistema actual, se desperdicia un vasto volumen de energía. Hombres y mujeres creyentes están llenos de energía, pero en muchos casos la energía no hace girar ninguna rueda. En toda congregación existe una fuerza moral como la del Niágara, que no crea ni calor ni luz. En toda congregación hay tierras desérticas que florecerían como un rosal si se las irrigara con las destrezas de un ingeniero. Hay pantanos que podrían drenarse si tan solo tuviesen a la mano el conocimiento y la genialidad necesarios. En toda congregación hay tres clases de personas cuya vida actualmente se está desperdiciando.

En primer lugar, los creyentes inactivos; en segundo lugar, los publicanos y pecadores; en tercer lugar, los samaritanos. Estas son las tres clases de personas a las que el pastor debe otorgar un cuidado peculiar y constante.

Un creyente inactivo está perdido, por supuesto. ¿De qué sirve que su nombre esté en el libro de la iglesia si no hace nada por el avance del Reino de Dios? Los publicanos y pecadores son apóstatas, personas que han caído en un abierto distanciamiento de la iglesia. Los samaritanos simplemente están fuera de la congregación, mundanos y heréticos y, sin embargo, en el plan de

Dios Samaria siempre es parte de la Tierra Prometida. Los pastores de la iglesia judía, antes de la venida de Jesús, permitieron que todas estas tres clases se les escabulleran. Multitudes de judíos eran simples formalistas y carecían de la vida del espíritu; otros habían llegado a ser casos perdidos en su totalidad ante los ojos de los pastores; mientras que Samaria se consideraba un pueblo bajo maldición, con quienes no era apropiado que su pueblo se asociaría, y su misma existencia era una molestia para el corazón hebreo devoto. Cuando llegó el Buen Pastor, él entendía su negocio. De inmediato procedió a hacer buen uso de las tres clases. Envío a los haraganes a la viña. Asió a los publicanos y pecadores; a uno de ellos, a Mateo, ubicó en un trono, e incluso de Samaria dijo: "Alzad vuestros ojos y mirad los campos, porque ya están blancos para la siega". Para aquel que mira el mundo con los ojos de Jesús no existen desiertos sin esperanza ni pantanos irreparables ni existe una Samaria que no pueda hacer parte de la Tierra Santa. Jesús era el maestro del método para transformar la naturaleza humana, y su método era el pastoral. Él se abrió camino al Sanedrín a través del alma de un anciano. Tocó los corazones de todos los publicanos el día en que entabló amistad con uno de ellos, y rompió el corazón endurecido de Samaria simplemente al ser amable con una mujer samaritana.

Es cuando vemos que la obra de la iglesia cristiana es trabajar en el individuo que ninguna congregación, sin importar lo limitado que sea su territorio, parece realmente pequeña. Existe una cantidad inimaginable de trabajo que se debe hacer en cada congregación. Los jóvenes no deben sentir que desperdician su vida porque no pueden predicar grandes sermones delante de una multitud. Despójense de la concepción oratoria del ministerio y pongan en su lugar la idea pastoral. No deberían darle la espalda a la parroquia porque parece aburrida y muerta. ¿Qué parroquia podría ser más aburrida, más fatua y más sin esperanza que el valle de los Vosgos antes que Oberlin lo tomara bajo su cuidado? ¿Qué parroquia podría ser más irreligiosa, reprobada e impía que Kidderminster antes que Baxter le entregara su gran corazón? Nunca creamos que existe una parroquia en la tierra, por más desolada o poseída por demonios que se encuentre, donde no puedan llegar a brotar las flores del paraíso bajo el calor del verano creado por el cuidado de un pastor.

4

Las Tentaciones del Pastor

Son muchas, pero analicemos solo dos. A estas dos se les da un trato especial porque son aquellas de las que nuestro Señor y dos de sus apóstoles pronunciaron repetidas advertencias especiales, y debido a que la experiencia de 1.900 años ha demostrado que estas dos tentaciones son las más insidiosas, las más constantes y las más fatales. Son (1) el amor a la ganancia y (2) el amor al poder: la codicia y la ambición, el deseo exorbitante de poseer gratificación personal, y un amor ilícito por el progreso, la prominencia y la autoridad. La historia cristiana deja en claro que estos son los pecados cardinales que permanecen como bestias en posición de ataque a la puerta del pastor.

La codicia se asocia a menudo en nuestra mente con dinero, y parecería absurdo decir que uno de los dos pecados que asedian al ministro es un amor excesivo por el dinero. El mundo siempre está listo para acusar al ministro de esto, probablemente porque el hombre promedio en sí mismo es tan susceptible al poder seductor del oro. Uno de los escarnios tradicionales que se arrojan al ministro es: "Mientras más alto es el salario, más fuerte es el llamado". Un laico, sin importar cuán santo sea, podría intercambiar una posición por la otra si, al hacerlo, incrementa sus ingresos sin el sacrificio de los intereses importantes, pero esto, en un ministro, es considerado por muchas personas como reprensible, o incluso vergonzoso. En muchas zonas están muy atentos y alerta, no sea que los ministros ganen más dinero del que deberían y tengan su salario en más alta estima de la que deberían.

Pero esta acusación no es justificada. Como regla, los ministros no tienen una estima anormal por el dinero. Ningún otro grupo de hombres piensa ni se preocupa tan poco por esto. El hecho que un hombre esté en el ministerio es una evidencia audaz de que no adora al becerro de oro. Solo un hombre zoquete entraría en el ministerio con el propósito de hacer dinero. ¿Acaso no es el salario promedio de un ministro miserablemente pequeño y acaso no son miles de salarios una deshonra para la iglesia? Todo hombre que entra en el ministerio hace, en realidad, un voto de pobreza. Le da la espalda a todos los caminos que llevan a la riqueza. Entrega todas las esperanzas de llegar a ser alguna vez un hombre rico. Pocos hombres en este país se han vuelto ricos con dinero por causa de su servicio como ministros. Ocasionalmente un ministro llega a poseer riquezas, pero no es por medio de su salario como pastor de una iglesia. Solo hay una pequeña fracción de ministros cuyos salarios son grandes, y para estos pocos es así con el propósito de suplir el extravagante alto costo de la vida en las grandes ciudades. Por lo tanto, cuando los críticos acusan a los ministros de tener ambición por el dinero, caen en la calumnia. En este país que ama, que busca y se aloca por el dinero, una multitud de jóvenes cada año da la espalda a los brillantes incentivos financieros que ofrecen los otros llamados y se dedican a una profesión que los condena a ser pobres, y ese es uno de los fenómenos más sublimes de nuestro siglo, así como una prueba indiscutible de que el Espíritu de Dios todavía está entre nosotros.

Pero la codicia no significa necesariamente amor al dinero. Es un deseo excesivo de cualquier cosa que gratifique los antojos de una persona. Es la disposición de poseer y obtener. El dinero no es lo único que se puede poseer u obtener, y el hecho mismo de que el dinero esté excluido de las posibles adquisiciones del ministro pudiera hacer que codicie aún más aquellas cosas que sí están a su alcance. La codicia es parte de nuestra naturaleza humana no regenerada, y si no se la puede ejercer en una dirección, se esfuerza por conquistar en la otra. Cuando alguien habla del salario del ministro, no debería detenerse con la suma del dinero que recibe anualmente el ministro.

El dinero es solo un elemento en el estipendio anual del ministro. Se le paga con dinero, pero también con gratitud, elogios, aplausos y admiración. No solo se le entrega dólares, sino privilegios y posiciones sociales que para un hombre de cultura son más valiosos que los billetes. El ministro tiene oportunidades para el estudio y la realización personal, para la meditación y para esas calladas búsquedas en las que se deleita la naturaleza estudiosa. Le llegan compensaciones que son más valiosas que los rubíes, le pertenecen las satisfacciones dulces y sutiles que el hombre mundano desconoce por completo. Aunque, en un sentido, el ministro es el hombre más escasamente pagado en la comunidad, en otro sentido ningún hombre recibe recompensas tan generosas.

El ministro que realmente ha sido llamado por Dios para guiar a los hombres en el camino de la vida tiene una remuneración que no se puede calcular en términos de nuestra aritmética terrenal, la cual no intercambiaría por los ingresos de los hombres con mayor salario de la ciudad. Es justo aquí, entonces, que el pastor satisface una de sus dos tentaciones más peligrosas. Su tentación es ser el centro de la congregación y exigir un tributo ilícito de la gente, como si fuera un barón medieval.

Un predicador puritano declaró una vez que "una persona codiciosa vive como si el mundo hubiese sido creado para él, y no él para el mundo".[1] ¿Acaso no hay ministros quienes, según esta definición, son codiciosos? ¿Acaso no piensan y actúan a menudo como si la congregación hubiese sido creada para ellos? A veces los hombres salen del seminario sin concepción del servicio cristiano, sin la idea de que la iglesia siempre debe estar primero, sin noción de que la iglesia no existe para el pastor, sino que el pastor existe para la iglesia. No hay nada más desalentador que el tono de las conversaciones en las que algunos ministros participan. Confiesan sin gracia que están buscando una iglesia que les pague un salario digno mientras llevan a cabo un plan estimado. La iglesia que están buscando debe estar en una ubicación determinada, debe pagar un salario en particular, debe tener un tipo establecido de casa pastoral y debe estar compuesta de una clase específica de personas. A veces los ministros hablan de sus planes personales con descaro y sin sonrojarse; cuando llegan a su primera congregación, su pensamiento más importante es alcanzar su propia ventaja.

Cuando un hombre así consigue una iglesia, empieza una tragedia. Él establece una línea de estudio que se ajusta a sus gustos personales. Se adentra en los campos a los que le llevan sus inclinaciones intelectuales. Quizá termina ciertas investigaciones que comenzó cuando era estudiante. Se entrega a varias ramas de filosofía o ciencias que sean de su agrado. En cuanto a las personas, ¿quiénes son? Deberían estar satisfechas con cualquier cosa. Cada sermón tiene algo en su contenido, y es asunto de los

1 Una cita de Robert South (1634–1716), un hombre de la iglesia inglés.

laicos encontrar qué es ese algo. Domingo tras domingo, las ovejas hambrientas miran hacia arriba, pero no reciben alimento.

A lo mejor el ministro está trabajando para obtener un título de posgrado; posiblemente esté recolectando material para un próximo libro. Es un hombre codicioso y egoísta, mientras su gente cae y muere. El médico ha venido. Los pacientes están delante de él, pero él no estudia sus enfermedades. Está realizando experimentos en el laboratorio con nuevos sueros y cultivos. Las ovejas están esperando para ser guiadas y alimentadas, pero él las trasquila simplemente para vestirse. Si su conciencia está completamente muerta, él utiliza la iglesia únicamente como base de suministros. Él entra en el negocio de dar conferencias o alguna otra forma de ocupación remunerada, mientras permite que su gente le pague por un trabajo que no hace. Mientras construye su fama y fortuna, las almas que Dios le ha encomendado para que las guíe quedan a merced de los lobos, y las causas nobles que pudieran alcanzar una coronación bajo su liderazgo se dejan languidecer y fracasar. Una iglesia que se cae a pedazos por puro descuido, mientras su líder asignado se aventura en actividades externas, es un espectáculo que trae dolor al corazón de todos quienes aman a Dios verdaderamente, y debe causar angustia entre los ángeles del cielo. A veces la iglesia es utilizada simplemente como un trampolín para algo mejor.

Un ministro entra en una parroquia sin ningún deseo de extender el Reino de Dios en ese lugar, sino con el único propósito de salir en la primera oportunidad de esa congregación para ir a una que esté al nivel de lo que cree merecer. Tales hombres son, por regla general, atrozmente engreídos. La codicia es un terreno en el que crecen todo tipo de espinos y zarzas. Si el veneno de la codicia fluye en la sangre de un hombre, no existe límite para las necedades que pensará y hará. Cuando piensa en sí mismo, genera un estimado anormal de su valor. Nada es lo suficientemente bueno para él. Piensa que el púlpito más alto de la tierra a duras penas es digno de él. Siempre aspira a las iglesias que siempre estarán por encima de él. Cree que lo llamarán los comités que ni una sola vez han pensado en él y jamás lo harán. Sus sueños son dignos de lástima y también repugnantes. Este es uno de los elementos en la terrible retribución que Dios inflige sobre aquellos que profesan seguir los pasos de Jesús, pero que en realidad viven solamente para sí mismos.

A lo largo y ancho del país existen ministros agrios y descontentos; sus corazones están en constante fermentación, todo porque se les ha negado ese reconocimiento que, en su opinión, sus brillantes méritos merecen indiscutiblemente. Hablan con desprecio de los "hermanos favorecidos", quienes, sin la mitad de sus recursos intelectuales y solamente con una fracción de su mérito, han tenido éxito en superarlos, ya sea por medio de amigos influyentes, por casualidad o posiblemente por el diablo. "Haced morir la avaricia", dice el apóstol Pablo, "...que es idolatría" (Colosenses 3:5). La idolatría de uno mismo siempre lleva al infierno y esto nunca sucede tan rápidamente como cuando el pecador es un ministro.

La codicia conduce a la presunción y también a la vanidad. Todo ser humano tiene un pavo real en su corazón, y el pavo real siempre tiene hambre de migajas. El hombre codicioso alimenta al pavo real en su interior todo el tiempo. La gente elogia sus sermones y esta adulación lo hace más voraz por más elogios. Halagan su voz o su memoria o su bella dicción, y esto despierta un apetito que, cuando crece por el alimento que recibe, nunca logra satisfacerse. Este amor anormal por los elogios es, en realidad, una forma de codicia. Es una especie de avaricia que es fatal como el que codicia el dinero. Las palabras halagadoras son monedas y algunos hombres se desesperan por obtenerlas, así como otros hombres se mueren por tener plata y oro. En ocasiones esta enfermedad progresa hasta el punto en que el pobre hombre se vuelve un objeto de burla en la congregación. Habitualmente busca cumplidos, y todo hombre cuyo corazón es sensato lo desprecia en secreto.

El último hombre de la tierra que debería sentir hambre del azúcar de los elogios populares es el ministro de Jesús de Nazaret. Si el hermano que busca aplausos no estuviera espiritualmente muerto, escucharía una voz que dice: "¿Cómo puedes creer a quienes reciben el honor de los hombres, y no buscan el honor que solo viene de Dios?".

La codicia tiene otro retoño más: el descuido. Un hombre que piensa demasiado en sí mismo no tiene suficiente tiempo para pensar en los demás. El "yo" es un tema importante y, cuando uno se inmiscuye en él, es un cuento de no acabar. El hombre codicioso se asegura de descuidar aquellas formas de trabajo que son distintivamente pastorales. Ministrar en los hogares de los enfermos y los pobres, el trabajo que implica una labor callada y oscura que nadie ve, solo Dios, es aquí donde el ministro codicioso demuestra el tipo de hombre que es. Hay muchos deberes de los que un ministro no puede escapar. Independientemente de cuán codicioso sea, atenderá estos asuntos, porque puede aprovecharlos para su ventaja. No puede permanecer alejado de una boda ni ausentarse de un funeral ni quedarse en casa durante una reunión de oración ni salir a hacer una visita el domingo. Sus obligaciones públicas lo mantienen inmovilizado. Los peores hombres harán cosas que son para su beneficio, pero es al cumplir o no cumplir con los deberes privados que se revela la verdadera esencia de un ministro. Si es egoísta, no necesita irse hoy a visitar a la mujer que está enferma, puede ir mañana. El mundo no lo sabrá. Si ella muere esta noche, nunca podrá contar a nadie que él no la visitó. No necesita incomodarse para consolar a un hombre que perdió a su hijo el mes pasado. Una omisión de ese tipo nunca llega a los periódicos. Al forastero que vive sin esperanza y sin Dios en el mundo no le debe nada, y las declaraciones en la última revista son apremiantes, por tanto, puede dedicar tiempo a la revista para descuidar al forastero. Buscar a un miembro de su iglesia que se ha apartado no es una tarea tan agradable como muchas otras. La oveja descarriada no quiere que le busquen. ¿Por qué había de molestarla con atención pastoral? La ciudad seguirá funcionando del mismo modo con una oveja menos en el redil. Un chico malo que rompe el corazón de su madre necesita una amonestación, pero si no la recibe, no divulgará la negligencia del pastor. Hay cien cosas pequeñas que el pastor debe atender, pero cada cosa pequeña consume energía y tiempo, y aunque esas cosas pequeñas son realmente importantes en las vidas de los seres humanos, son asuntos que se pueden omitir sin que el ministro sea llamado a dar cuenta de ellos.

Hace una gran diferencia en el tono y la tendencia de la vida congregacional el hecho que el ministro sea fiel en lo poco, o si se dedica solamente a las cosas que son grandes y llamativas. Se puede menospreciar una parte considerable de la labor pastoral sin que caigan relámpagos. Se puede descuidar muchas de las cosas más excelentes y cruciales, sin que el ministro tenga que ser avergonzado; pero cuando un pastor permite que existan cabos sueltos en su congregación y es descuidado en su respuesta a las necesidades oscuras pero vitales, es probable que gane opiniones doradas de muchas clases de personas, pero yace bajo la condenación del Buen Pastor.

La codicia también se manifiesta frecuentemente en la cobardía. Un hombre avaricioso, por regla general, huye al divisar un lobo. Un hombre que tiene cuidado de sí mismo no tiene afición por el peligro. Se salvará a sí mismo, sin importar que todos los demás se pierdan. Cuando surge una crisis en la congregación, él entrega su renuncia. Cuando aparecen los enemigos del rebaño, en la hora cuando las personas más necesitan su guía, el líder abdica de su posición. Una gran pregunta moral está en cuestión, pero él tiene miedo de salir con valentía a favor de la verdad y el derecho. Cuando los cielos eran azules, parecía ser lo suficientemente valiente, pero cuando estalló la tormenta, fue el primero en buscar refugio. En los días de paz, lanzó un feroz llamado para que su séquito participara en la batalla, pero cuando apareció el enemigo, él se escabulló ignominiosamente del campo. Esto se debía a que era un hombre codicioso. Tenía una estima anormal por su propio pellejo. La codicia es uno de los pecados más sutiles y engañosos. Uno no sabe cuán avaricioso es hasta que haya sido probado. La mejor prueba para la avaricia es la boca abierta del lobo. El alma de un hombre se revela de manera sorprendente en el destello del fuego de los ojos del lobo. El hombre de corazón codicioso es, en todo lugar y siempre, un cobarde. Cuando ve venir al lobo, huye.

Sería imposible pintar con colores demasiado oscuros la enemistad del pecado de la codicia en los enviados del Hijo de Dios. Nada es tan destructivo para la fe cristiana como un ministro egoísta. Hay laicos cuya fe ha sido destruida para siempre a causa de la indignidad de su pastor.

Alguna vez tuvieron una confianza elevada y contenta en los ministros cristianos, y fueron los principales obreros de la iglesia, pero después, lamentablemente, un día llegó un ministro que, predicando con su boca el evangelio de la generosidad, escondió detrás de su predicación la rancia corrupción de un espíritu avaricioso. Poco a poco se fue revelando que el ministro trabajaba para sí mismo, que el bienestar de la congregación no era lo que tenía en mente. Y cuando llegó la crisis, sacrificó a la congregación para asegurar su propio progreso. Cuando los laicos tienen a la cabeza un líder codicioso, muchas veces no dicen nada, solo se enferman espiritualmente y mueren. Pierden su fe en su ministro y después la pierden en todos los ministros. Pierden su interés en su iglesia y, finalmente, en todas las iglesias.

Ay del ministro que, por su corazón egoísta, no solo pierde el cielo para sí mismo, sino que cierra la puerta para que otros no puedan entrar. Es el peor hombre de la parroquia, es peor que un ladrón. Un ladrón podría perjudicar a su víctima y todavía retener cierto sentido del honor. El hurto podría ser su negocio y de frente reconocería su falta de disposición para ser un hombre honesto. Pero un ministro que vive para sí mismo no es solo un ladrón, sino un pillo. Finge que vive para otros, y si bajo su pretensión vive únicamente para sí mismo, es el más despreciable de todos los sinvergüenzas que existen. Es el mayordomo de los tesoros celestiales, y si cuida primordialmente de sí mismo, es un traidor de la mayor encomienda que Dios ha confiado a los hombres. Es un ciudadano destacado de la Jerusalén celestial y, si trabaja para su engrandecimiento personal a expensas de los demás, es un traidor al Reino de Dios. Es también un blasfemo. Él blasfema y hace que otros blasfemen. Llega a ser aquello que el Hijo de Dios aborrecía con toda la intensidad de su infinitamente puro y honesto corazón, es un hipócrita, un lobo vestido de oveja.

Jesús tiene un nombre para el predicador codicioso. Lo llama asalariado. "Un asalariado", afirma, "no es un pastor en absoluto". Carece del corazón de pastor y no puede hacer la labor pastoral. Un asalariado es un hombre que trabaja exclusivamente por la paga, sus ojos siempre están en su salario, su motivación más profunda es la ganancia. Siempre está contando sus dividendos. Su dios es él mismo. Es asombroso cómo el aliento de Jesús ha glorificado ciertas palabras para siempre, por ejemplo, la palabra "siervo" nunca ha sido la misma desde que Jesús la mencionó, ni tampoco "amor". Él dio a algunas palabras un brillo que superará al de las estrellas.

Sin embargo, hay otras a las que empañó su honor y las dejó para que se abrieran camino a lo largo de los siglos como palabras desacreditadas y marcadas. Una de estas palabras es "hipócrita" y otra es "asalariado". No se puede hablar del término "asalariado" sin el acento que Jesús le dio. No podemos convertirlo en una palabra dulce y decorativo. No podemos levantarlo al nivel de lo respetable. Es una palabra degradada, y cuando deseamos condenar a un hombre, lo llamamos asalariado. Este sería un hombre cuyo corazón no está en su trabajo. Lo realiza únicamente por lo que espera sacar de él. Jesús describe al ladrón y al asalariado el uno al lado del otro en su alegoría del pastor. Pero no hay duda para cuál de los dos hombres tenía un aborrecimiento más profundo. Casi se puede captar el silbido abrasador del odio moral en esta oración: "Así que el asalariado huye, porque es asalariado, y no le importan las ovejas" (Juan 10:13).

Vale la pena mencionar que Pedro, en sus instrucciones a los pastores, tuvo que advertirles contra el pecado de la codicia. "Apacentad la grey de Dios que está entre vosotros, cuidando de ella, no por fuerza, sino voluntariamente; no por ganancia deshonesta, sino con ánimo pronto" (1 Pedro 5:2). La exhortación debe de haber respondido a algo que el apóstol veía en las vidas de los líderes de la iglesia. Esa astuta serpiente llamada codicia ya se había escabullido en el huerto de Dios y causaba estragos en los corazones de los ungidos del Señor. Es asimismo sorprendente que Pablo, en su discurso pastoral a los ancianos de Éfeso, les dijera estas palabras:

> Ni plata ni oro ni vestido de nadie he codiciado. Antes vosotros sabéis que para lo que me ha sido necesario a mí y a los que están conmigo, estas manos me han servido. En todo os he enseñado que, trabajando así, se debe ayudar a los necesitados, y recordar las palabras del Señor Jesús, que dijo: Más bienaventurado es dar que recibir (Hechos 20:33-35).

En su primera carta a Timoteo, Pablo establece que uno de los requisitos esenciales de un obispo, o un pastor, es que no será un hombre que ama el dinero. Por dinero debemos entender toda cosa terrenal que los hombres consideran un tesoro. En los días apostólicos no existían casas pastorales cómodas, estudios placenteros, estantes llenos de libros, descuentos ministeriales, púlpitos famosos, organizaciones aduladoras, una sociedad lisonjera ni un mundo que aplaudiera a los apóstoles. Los ministros eran vilipendiados, perseguidos, difamados, considerados como lo más sucio del mundo, los más menospreciados de todos. En ese tiempo solo había una bendición terrenal que les era posible codiciar: el dinero. "No pongan su corazón en el dinero", imploraron Pedro y Pablo. Y si se estuvieran dirigiendo a los ministros hoy en día, les dirían: "No pongan su corazón en las ventajas terrenales que ofrece una posición ministerial: el tiempo para estudiar, la tranquilidad para la meditación, las oportunidades para la cultura personal, los cumplidos de las mujeres, la gratitud de los hombres, el aplauso del mundo; no conviertan estas cosas en lo que su corazón más desea". Y el Maestro agregaría: "Mirad, y guardaos de toda avaricia; porque la vida del hombre no consiste en la abundancia de los bienes que posee".

Pero el amor a las cosas no está tan arraigado ni tan destructivo que el amor al poder. El amor al poder es innato en el alma del hombre. El hombre que no lo tiene está lisiado. Todos los hombres viriles y vigorosos son ambiciosos. Sería extraño si los ministros del evangelio no tuvieran ambición. El amor a la prominencia, el ansia por distinción, el deseo de tener un rango exaltado, todos estos son instintos que están profundamente arraigados en nuestra naturaleza humana, y un curso de estudio en teología no los elimina. Al igual que los apetitos nativos del alma, pueden volverse anormales y causar sufrimiento y muerte a sus víctimas. Ningún otro pecado ha causado tantos estragos entre los ministros de Cristo como el amor exorbitante por el placer y el poder. ¿Acaso no es esa la realidad de miles de años de historia eclesiástica que narra cómo los ministros de Cristo, poco a poco, se compactaron en una jerarquía que se convirtió finalmente en el despotismo más vil e intolerable que el mundo haya conocido? La tiranía de la iglesia medieval era la tiranía de los clérigos. Los laicos fueron expulsados del lugar que el fundador de la iglesia les había asignado. Quedaron reducidos a ser simples espectadores, no tenían voz alguna en el gobierno de la iglesia, puesto que toda la autoridad fue acaparada por los eclesiásticos, quienes, elevándose por encima de cualquier otro rango, formaron una organización compacta que culminaba en una cabeza suprema que se adjudicaba una autoridad que trascendía a la de los Césares más poderosos, y cuyos agentes, distribuidos por todo el mundo, se enseñoreaban sobre las conciencias de los hombres, acumulando en sus garras todos los reinos de la vida.

La suprema tragedia de la historia cristiana consiste en que esta pasión eclesiástica por el poder en la iglesia medieval trajo deshonra sobre la causa de Cristo de la que no se recuperará hasta mil años más. Todo el mundo sufre actualmente a causa de lo que hicieron los clérigos medievales. La causa de Cristo se ve obstaculizada en todo lugar debido al prejuicio sembrado en el corazón humano por la política arrogante y prepotente de los líderes ambiciosos de la iglesia de Roma. Las historias de esa tiranía son propiedad de toda la humanidad. Dondequiera que se predica el nombre de Jesús, los enemigos del Señor exhiben el registro de la ambición, la crueldad y el despotismo de los ministros ordenados de Jesús, y de esta manera cierran los corazones de muchos.

Con la historia de la iglesia abierta ante él, todo joven que se prepara para el ministerio tiene una advertencia a la que debería prestar atención, como si viniera directamente del cielo. Aquellos clérigos de antaño eran hombres de pasiones similares a las nuestras. No comenzaron con la intención de traer deshonra y ruina a la iglesia de Dios. No eran enemigos de Cristo sin conciencia. Tenían buenas razones para formular sus políticas como algo verosímil, y fueron capaces de justificar todo lo que hicieron por medio de un razonamiento engañoso. No eran totalmente depravados y réprobos.

En sus corazones había muchas aspiraciones nobles, y en su generación realizaron muchas acciones nobles. Pero, por desgracia, la ambición, el pecado por el que cayeron los ángeles, gradualmente fue oscureciendo la mente del clérigo y la llevó a caminos que por poco destruyen el mundo. Nosotros somos protestantes y hemos roto con el despotismo de Roma. Nos regocijamos y decimos que somos hombres libres en Cristo; creemos en el sacerdocio de los creyentes, en la hermandad de los discípulos del Señor. Reconocemos el peligro de las jerarquías de la iglesia, estamos en guardia contra cualquier aumento en la autoridad eclesiástica, sabemos que, si el ministro de Cristo se deja dominar por las teorías del sacerdocio, es el enemigo más peligroso que la humanidad tendrá que enfrentar. Y, sin embargo, aunque tenemos los ojos abiertos a los hechos y enseñanzas de la historia, podríamos estar ciegos a las fuerzas del mal que trabajan en nuestros propios corazones. La autoafirmación, la pretensión dictatorial, el temperamento autocrático no se limitan a ninguna rama de la iglesia cristiana.

El protestantismo no ha escapado por completo del despotismo y los hábitos de Roma. El viejo virus todavía está inserto en la sangre humana y hoy en día, como siempre, el antiguo mandamiento es oportuno: "Así que, el que piensa estar firme, mire que no caiga" (1 Corintios 10:12). No podemos jugar al monarca a la manera espléndida y enérgica del obispo medieval, pero sí es posible que un ministro protestante sea tan insolente como el más dictatorial de los cardenales y tan déspota como el más tirano de los Papas. Si alguien recorriera nuestro mundo protestante, observando cuidadosamente los pecados de los clérigos, ¿acaso no escribiría en su lista cosas tales como modales autocráticos, temperamento arrogante, aires de importancia, disposición dictatorial, autoafirmación, anhelo de distinción, ambición por los lugares algos, presunción arrogante, una actitud refinada pero dominante a la manera terrenal? Todo hombre tiene en sí mismo los elementos con los que Roma construyó un despotismo que esclavizó al mundo.

Vale la pena notar cuántas cosas conspiran para desarrollar una disposición orgullosa y arrogante en el ministro. Su relación con Cristo, el Hijo de Dios, la conciencia de ser el embajador del Rey de reyes tiende a darle un sentido de dignidad que fácilmente podría convertirse en un vicio. El hecho de que se le haya confiado los oráculos de Dios y que sea ordenado para ministrar en oficios santos lo separa de los hombres que están dedicados a las ocupaciones seculares; y si piensa constantemente en esto, tiene una tendencia a engendrar el sentimiento: "Soy más santo que tú". Uno a veces se pregunta cuán culpable podría ser la metáfora del pastor por las nociones exageradas de la prerrogativa ministerial.

Una metáfora, al igual que las demás cosas buenas, siempre es peligrosa. Puede ser llevada demasiado lejos. La idea del pastor, si se utiliza correctamente, es esclarecedora, pero si se abusa de ella, es falsa y peligrosa. Puede interpretarse como si insinuara que los laicos son criaturas débiles y tontas, mientras que los clérigos son seres maravillosos dotados de poderes sobrenaturales que disfrutan favores únicos y exclusivos del cielo. Jesús nunca usó la palabra "oveja" con un sentido despectivo o desdeñoso. Llamó a los niños pequeños "corderos" porque corderito es un apodo cariñoso para un niño. Llamó a los adultos "ovejas" porque la palabra era estimada para los oídos hebreos, y sus compatriotas habían cantado por siglos: "Pueblo suyo somos, y ovejas de su prado".

Literalmente hablando, los hombres no son ovejas en absoluto. No pertenecen a un orden de la creación inferior al que pertenece el pastor. La vida del pastor y de su gente está al mismo nivel. No existe un abismo entre el ministro y su rebaño. El pastor y su pueblo son miembros de la misma familia. Tienen las mismas naturalezas y los mismos privilegios. Todos por igual tienen libre acceso al trono de la gracia, por igual son redimidos por el Hijo de Dios, por igual son herederos de la inmortalidad. Sin embargo, es posible que los ministros utilicen la metáfora del pastor para exaltarse a sí mismos a expensas de los laicos, y establezcan pretensiones que han sido expresamente descartadas por el Buen Pastor.

Cualquiera que haya sido la influencia de la metáfora del pastor, no hay duda de que la naturaleza del trabajo de un predicador tiene la tendencia a alimentar su amor por la tiranía y avivar su apetito por el dominio absoluto. ¡Qué libertad disfruta el ministro en la disposición de su tiempo! Ningún otro hombre, aparte de un millonario jubilado, podría ser un monarca de sus días, como lo es el ministro. Puede leer el lunes por la mañana, escribir, caminar o mezclar las tres cosas, como considere mejor. El martes por la mañana puede atender su correspondencia, clasificar su biblioteca, devorarse algún libro nuevo o reunirse con un grupo de amigos, tal como decida. El orden de sus entradas y salidas ocurre, en gran medida, a su propia discreción.

Dentro de amplios límites, es el monarca de todas las horas que contempla. Una libertad de este tipo es peligrosa, ha arruinado a miles. Su dominio sobre sus sermones es todavía más maravilloso. Él es libre de decir cuál será el texto, el tema, las ilustraciones, los argumentos, la conclusión, y nadie puede interferir. Puede adoptar cualquier estilo de predicación que le guste, puede seguir cualquier línea de pensamiento que elija. Un comerciante tiene que darles a sus clientes lo que pidan, un hotelero debe suplir lo que deseen sus huéspedes, pero un predicador puede dar lo que él piense que su audiencia debe querer y debe tener, sin importar cuáles sean realmente sus necesidades y deseos. Por media hora o más, todos los domingos por la mañana, todos están en silencio mientras él habla. Esta inmunidad sin igual ante los ruidos, interrupciones y contradicciones a los que están sujetos los demás hombres, engendra en cierto tipo de hombres un tono en la mente que dice: "Yo soy el señor Oráculo, y cuando abro la boca, que ningún perro ladre".[2]

En la vida social, un ministro siempre está al frente. Es el observado por todos los observadores. Dondequiera que se siente, es la cabeza de la mesa. Tiene sus críticos y detractores, pero no son visibles en las funciones sociales. En la vida social, especialmente

2 *El Mercader de Venecia*, Acto 1, Escena 1.

en las aldeas pequeñas, existe un respeto que se les otorga a los ministros que no recibe ningún otro hombre. Esta quema de incienso delante del ministro tiene la tendencia, en muchos casos, a hacerle engreído: hacer que piense más de sí mismo de lo que debería. Si hay una celebración en la ciudad, el ministro deberá asistir; si se requiere una palabra oportuna en alguna ocasión de estado, es el ministro quien debe hablarla. Esta es una verdadera descripción de muchos ministros: "y aman los primeros asientos en las cenas, y las primeras sillas en las sinagogas, y las salutaciones en las plazas, y que los hombres los llamen: Rabí, Rabí" (Mateo 23:6-7). Aman estas cosas porque son humanos y porque están acostumbrados a ellas, porque creen que tienen derecho a ellas. El respeto y la obediencia constantes tienden a engendrar en los hombres de cierto grado una disposición altiva y desagradable.

Pero la más poderosa de todas las fuerzas que trabajan para destruir el corazón de un ministro es la libertad que tiene para idear y dar forma a las políticas de la iglesia. Por regla general, los laicos están demasiado ocupados como para asumir un interés continuo en los asuntos de la iglesia. El resultado es que, en muchas congregaciones, casi todo se pone sobre los hombros del pastor. Si se debe hacer un cambio, él debe realizarlo; si hay una nueva obra por emprender, él debe iniciarla; si hay una nueva responsabilidad qué asumir, el pastor debe hacerlo. En una multitud de parroquias, el ministro no solo debe predicar, dirigir la reunión de oración y hacer todas las visitas pastorales, sino que también debe supervisar la escuela dominical, administrar las finanzas, esbozar el trabajo de cada organización, y posiblemente actuar incluso como líder de los cantos. No es de extrañar que los ministros lleguen a sentir en ocasiones que poseen una considerable importancia. Fue de esta manera que el gobierno de la iglesia floreció durante el romanismo.

En los primeros siglos del cristianismo, los laicos eran en su mayoría ignorantes, incompetentes e indiferentes, por lo que toda la formación y administración de la iglesia recayeron inevitablemente en las manos de sus funcionarios clericales. Los laicos en nuestros días no son ignorantes ni incompetentes, pero muchos de ellos son indiferentes porque están muy ocupados. No tienen tiempo para molestarse con los asuntos de la iglesia. La administración de la iglesia queda, por tanto, en gran parte en manos del pastor. Esto es malo para él, y también es malo para la iglesia. Hace que sea más fácil que el ministro desarrolle en su interior una disposición dictatorial y que alimente en su corazón el amor al poder autocrático.

Nótese algunas de las formas en que se evidencia este temperamento despótico. A veces se manifiesta en el tono del sermón. Muchos predicadores predican con un aire dominante y dictatorial. Dan por sentado que su congregación es una generación rebelde de dura cerviz, y proceden a hacer tragar la verdad a la gente.

Hablan con voz muy alta. Hay demasiado esfuerzo en sus voces. No quiero decir que un ministro nunca deba levantar la voz. Si tiene una gran voz, tiene derecho a dejarla salir como un trueno cuando los pensamientos destellan y sus emociones forman una tempestad. Pero mugir por el simple hecho de hacer ruido siempre es malo. Con frecuencia hay un exceso de lo magisterial, pero no lo suficiente de lo amistoso. Existe demasiada omnisciencia, pero no suficiente de la humildad que Jesús ama. La verdad, para entrar, no necesita que se la empuje. Los martillos no son esenciales para la introducción de ideas. Keats dijo una vez: "La poesía debería ser grandiosa, pero discreta". Lo mismo se puede decir de un sermón. Debería ser grandioso, pero sin obstruirse a sí mismo. Si los hombres salen diciendo: "Ese fue un gran sermón", no alcanzó el ideal. Cuando los hombres escuchaban a Demóstenes, no salían para decir: "Esa fue una gran oratoria". Ellos decían: "Vayamos y marchemos contra Felipe".

Hay predicadores que, por la expresión de su cara, el aplomo de su cuerpo y el carácter de sus gestos, dicen con franqueza: "¡Esta es la verdad de Dios! ¡No se atrevan a negarla! ¡Acéptenla! ¡Acéptenla toda! ¡Acéptenla inmediatamente! ¡Por el Eterno, haré que la acepten!". No es necesario meter el pasto en la boca de una oveja. Meta la hierba por la garganta de la oveja, y el animal se pondrá tan nervioso que no comerá en absoluto. Ponga el pasto al alcance de la oveja y lo comerá por sí misma. Lo mismo sucede con la verdad. Sosténgala en alto para que la gente pueda verla con claridad; llévela para que esté cómodamente al alcance de las personas; deles tiempo para que se acerquen a ella; y la comerán. Charles Lamb solía decir que "la verdad de un poema debe deslizarse en la mente del lector, mientras este no se imagina tal cosa". La verdad del sermón debe deslizarse en la mente del oyente sin que este realmente sepa qué está pasando. No es una señal alentadora cuando los hombres salen diciendo: "¡Qué tremendo es ese hombre! ¡Qué esfuerzo tan poderoso fue ese!". Es mejor cuando no piensan nada del predicador, pero salen con un corazón inquieto por el recuerdo de las cosas que han hecho mal y molestos por la imagen evocadora de un ideal radiante; un perfume celestial que cuelga alrededor de su espíritu, tan dulce como el que llenó la habitación en la que María rompió el vaso de alabastro sobre la cabeza del Maestro. Los dictadores están fuera de lugar en el púlpito. La dictadura es una forma de lucha carnal por el poder.

Este señorío eclesiástico se manifiesta en ocasiones en el tono de condescendencia con el que se trata a los oponentes, así como la insolencia altiva con la que se hace de lado a los escépticos. La facilidad arrogante y desdeñosa con la que los jóvenes atacan y abruman a los filósofos incrédulos y científicos materialistas, y los ancianos también, en el púlpito, es una triste exhibición de un espíritu no cristiano. El hecho de que estos oponentes de la fe cristiana no puedan estar presentes para responder impone al ministro la responsabilidad adicional de ser escrupulosamente justo en todas las frases que cita y bellamente justo en todos sus juicios. Precipitarse furiosamente contra las ideas de un hombre famoso y estudiado que está a cientos de kilómetros de distancia y hacer el ridículo de estas ideas de manera grosera y frívola, cuando el hombre no puede ni explicar ni defenderse, no es el acto de un caballero.

Es el mismo espíritu que se exhibe en la defensa vociferante de la ortodoxia. Todo ministro tiene, por supuesto, la obligación de proclamar y defender lo que concibe como la verdad, pero también tiene la obligación de proclamar esa verdad en amor. Si se pavonea como un gallo y se exalta como un fanfarrón, bien podría engañar a los ignorantes para que piensen que es un defensor de la fe, pero todos los que tienen ojos que disciernen saben que ha renunciado a ella. Ningún hombre hace nada por el avance de la religión de Jesús si su corazón es vengativo y amargo, si ataca el supuesto error tergiversando a los hombres que difieren de él.

Toda generación produce una compañía de campeones leales que dan por sentado que solo ellos son los verdaderos custodios de la verdad, y quienes con ademán fanfarrón y retórica arrogante inducen a aquellos que carecen de discernimiento a aceptarlos como agentes especiales del cielo. Estos altos y poderosos, a quienes se les ha encargado la matanza de los herejes, en realidad no son profetas, no hablan de parte de Dios, sino que hablan por sí mismos. Fue cuando Elías tenía su cabeza hinchada por su victoria en el monte Carmelo que concibió la idea de que era el único en Israel que no había doblado sus rodillas ante Baal.

En el ámbito de la administración congregacional, un pastor engreído exhibe síntomas que a menudo han sido condenados. Se resiente de cualquier divergencia de sus opiniones. Los hombres que no están de acuerdo con él son considerados sus enemigos. Los trata como traidores a la causa de la verdad. Todos los que no llevan a cabo sus deseos tienen la marca de la bestia. Se irrita por la más mínima oposición. Se mortifica por el fracaso de uno solo de sus planes. Considera una afrenta personal a cualquier independencia de pensamiento. Si un hogar se rehúsa a recibirlo, invoca fuego del cielo para que caiga sobre él. Con la fuerza de una conciencia tranquila, procede a destruir a la oposición por la fuerza de su ingenio. Confabula para adelantarse a los insurgentes por medio de una gestión hábil. Tiene éxito, pero este éxito se puede comprar a un precio demasiado alto. El precio siempre es demasiado alto cuando se compra a expensas del sublime ideal cristiano en el corazón del pastor.

Demasiados ministros han logrado un gran triunfo en la reunión de la iglesia, solo para descubrir al día siguiente que fueron derrocados. Aseguraron una mayoría de votos para sus proyectos, pero eso no equivalía a nada debido a la cantidad de corazones que estaban apartados. Un ministro podría saber bien cómo presentar sus propuestas, pero al mismo tiempo, perder su causa. Lo que no puede asegurarse por una dulce persuasión sería mejor que no se realice. Solo un pendenciero trata de tiranizar o golpear a la gente para que respalde sus proyectos, y el ministro que trata de hacer esto es un hombre cuyo corazón ha sido devorado por el abrumador amor al poder. Es bueno que un ministro sea derrotado de vez en cuando, con el fin de descubrir que no es invencible y que hay otras personas en el mundo aparte de él.

Con frecuencia, la victoria solo se logra por medio de la cruz. Un buen pastor no debería rehuir una crucifixión ocasional.

Un pequeño déspota protestante, un miserable papa parroquial, es una caricatura lamentable de un ministro de Jesucristo. Un ministro que se jacta en voz baja cuando hace la propuesta de encargarse de las cosas y que se ríe de su aptitud para manipular a las personas, que dice por medio de su actitud que es el jefe de la parroquia, es un hombre que se ha vuelto una piedra de tropiezo en el camino del progreso cristiano. Si, para el ministro, las personas son solo ovejas bobas, que no sirven para nada sino para ser trasquiladas de vez en cuando, seguramente se dará aires y desprestigiará el ministerio cristiano. Reprenderá en la reunión de oración, interpretará el papel de un dictador el domingo, se moverá con un aire condescendiente entre los pobres y ofrecerá una sonrisita altanera entre los ricos, dará órdenes en alta voz a todos los funcionarios de la ciudad, mientras los hombres sabios se sonrojan por su necedad y la iglesia lamenta la pérdida de un líder que, debido a que no tiene el espíritu de Cristo, ya no pertenece al Maestro al que ostentosamente profesa servir.

El pastor posee un poder extraordinario y, por tanto, debe estar cada vez más en guardia contra la tentación de jugar a ser señor. Pedro, al escribir a los pastores de su tiempo, dijo: "Apacentad la grey de Dios que está entre vosotros, cuidando de ella, no por fuerza, sino voluntariamente; no por ganancia deshonesta, sino con ánimo pronto; no como teniendo señorío sobre los que están a vuestro cuidado, sino siendo ejemplos de la grey". En otras palabras, no se niega su poder, ningún hombre podrá quitárselo. Dios mismo se lo dio. Tenga cuidado de cómo lo usa. No se pavonee. No se vista de pompa. No juegue al tirano en sus túnicas sagradas. Ejerza su poder de las maneras en que el Señor ha designado. Ejerza el dominio a la manera del Señor. Sea un hombre de ejemplo según el cual los hombres puedan moldear sus vidas. Sea un modelo que las personas puedan admirar. Sea un ejemplo a través del cual el poder de Cristo puede alcanzar y transformar los corazones de los hombres. Este es el encargo dado por el líder de los Doce, y Pedro recibió sus instrucciones del Príncipe de los pastores.

En la capacitación de los apóstoles, ninguna virtud fue tan exaltada y exigida como la humildad. Los Doce eran intensamente humanos y, bajo la influencia de la personalidad e ideas de Jesús, se despertaron en ellos nuevas ambiciones, así que empezaron a soñar con lugares elevados que ocuparían en el reino venidero. Es uno de los misterios del pecado que los hombres puedan tener sus mentes llenas de pensamientos de abnegación y desprendimiento y, al mismo tiempo, pasarse soñando con la preeminencia y el poder. Los hombres que estuvieron con Jesús en Cesarea de Filipo, que oyeron sus palabras sobre la tragedia venidera de la cruz, inmediatamente empezaron a discutir sobre esa antigua, fascinante y atormentadora pregunta: quién de ellos sería el más grande. No eran más pecadores que todos los demás; todos somos hombres de la misma naturaleza que ellos. Nosotros también podemos escuchar las palabras de Jesús sobre la humildad y la renunciación a nosotros mismos, repetirlas a nuestra gente y, al mismo tiempo, alimentar en nuestros corazones las ambiciones de escalar, brillar y dominar.

Hay ciertos pasajes en los evangelios que son especialmente apropiados para los ministros, párrafos que deberían leerse una y otra vez en la recámara interior, cuando la puerta esté cerrada. Uno de ellos es el capítulo 18 del Evangelio de Mateo, donde se encuentra la historia en la que Jesús reúne a los Doce y toma a un niño pequeño, lo sienta en medio de ellos y dice: "De cierto os digo, que si no os volvéis y os hacéis como niños, no entraréis en el reino de los cielos" (Mateo 18:3). La simplicidad y la sencillez de un niño inocente es una revelación de lo que Cristo espera de sus ministros. Un segundo pasaje clásico es el capítulo 23 de Mateo.

> Pero vosotros no queráis que os llamen Rabí; porque uno es vuestro Maestro, el Cristo, y todos vosotros sois hermanos. Y no llaméis padre vuestro a nadie en la tierra; porque uno es vuestro Padre, el que está en los cielos. Ni seáis llamados maestros; porque uno es vuestro Maestro, el Cristo. El que es el mayor de vosotros, sea vuestro siervo. Porque el que se enaltece será humillado, y el que se humilla será enaltecido (Mateo 23:8-12).

Existe un peligro que acecha en los títulos. La palabra que Roma seleccionó para sus sacerdotes ha tenido mucho que ver con perpetuar su error y afianzar su poder. No es bueno que los ministros sean llamados "Padre" por su gente. No es bueno para los mismos ministros. Esto presupone una dignidad y una prerrogativa en el ministro que no existen, y una inmadurez y dependencia de la gente que no son normales ni sanas. Los ministros no son maestros en el sentido en el que Jesús es un maestro. Los ministros no son señores en la forma en que Cristo es Señor. Son sus representantes, pero no toman su lugar ni poseen su poder. Hay un solo Señor, Jesucristo, el Hijo de Dios.

Un tercer pasaje para los pastores es el capítulo 13 del Evangelio de San Juan. La tragedia del aposento alto es uno de los más oscuros en la historia de la humanidad. Los doce hombres que han pasado años en la compañía cercana del hombre más abnegado que haya vivido, disfrutando la iluminación de su enseñanza y el poder limpiador de sus oraciones, todavía son tan miserables y egoístas al final de la vida de su Maestro, que no pueden sentarse a participar de una cena de despedida sin discusiones infantiles sobre el orden de sus lugares en la mesa. Fue cuando sus corazones estaban calenturientos y resentidos que Jesús tomó la palangana y la toalla y procedió a lavar los pies de los discípulos. Después de completar el trabajo, les dijo: "Vosotros me llamáis Maestro, y Señor; y decís bien, porque lo soy. Pues si yo, el Señor y el Maestro, he lavado vuestros pies, vosotros también debéis lavaros los pies los unos a los otros. Porque ejemplo os he dado, para que como yo os he hecho, vosotros también hagáis" (Juan 13:13-15). Al salir del aposento alto, Jesús fue al huerto de Getsemaní, y de Getsemaní a la cruz. Ver a un rey crucificado hacía reír a la gente. Nunca habían visto un rey sin penacho y sin corona. Jesús fue crucificado, pero Rey fue, es y será para siempre. Él gobierna al mundo desde su cruz.

En sus manos sostiene todas las almas. Él nunca ha renunciado a ninguna de ellas. Es el pastor y todas las ovejas le pertenecen. El ministro habla de su iglesia, su gente, su parroquia, y esto es apropiado si entiende el significado de sus palabras. Al diferenciar la una de la otra, una congregación pertenece a un hombre, mientras que otra congregación pertenece a otro hombre, pero en el sentido más profundo, todas las parroquias pertenecen a Cristo por igual. Los pastores humanos van y vienen en una procesión continua. Un ministro llega a la ciudad, desempaca sus libros, hace su trabajo y luego duerme con sus padres. "Sale como una flor y es cortado, y huye como la sombra y no permanece" (Job 14:2). Pero Jesucristo es el mismo ayer, hoy y por los siglos. Él está con su pueblo hasta el fin del mundo.

Cuando Jesús entregó a Simón Pedro el encargo de la iglesia cristiana, tuvo cuidado de utilizar el pronombre posesivo "mi".

"¡Apacienta mis corderos! ¡Pastorea mis ovejas! ¡Apacienta mis ovejas!". Es el pronombre más poderoso del Nuevo Testamento para salvar al ministro de la tiranía. "Simón, hijo de Jonás, apacienta mis corderos. No soy tuyos, son míos, pero deseo que los cuides por un tiempo. Pastorea mis ovejas. No son tuyas. No te las entrego. Me pertenecen a mí. Siempre permanecerán siendo mías, pero te pido que las apacientes por mí por un tiempo. Apacienta mis ovejas. No son tuyas. Ninguna de ellas dejará de ser de mi posesión, pero me voy por algunos días y las dejo contigo. Protégelas, aliméntalas, guíalas, sé bueno con ellas por causa de mí. Sígueme. Recuerda mi mansedumbre, mi vigilancia, mi consideración, mi paciencia, mi compasión, mi disposición para ayudar, mi rapidez para sanar, mi alegría para sacrificar. Sé la clase de pastor con mis corderos y mis ovejas que yo he sido para ti. ¡Sígueme!".

5

La Recompensa del Pastor

Ciertas escuelas de ética cuestionarían la sabiduría de agregar este tema a nuestra lista. Se nos dice que "la virtud es la recompensa por sí misma e inquirir lo que uno recibirá por cumplir con esta obligación le quita valor. Es mejor el trabajo y más noble el corazón cuando uno no piensa en la recompensa por su trabajo duro. Debemos hacer lo que hagamos con la mirada fija en el cumplimiento, sin exigir o esperar un pago". Esa es una filosofía que parece idealista, pero es demasiado pretenciosa para los mortales en su sano juicio. Es un ídolo de madriguera. El Nuevo Testamento no sabe nada del peligro de mirar al final. Jesús nunca se abstuvo de hablar de los resultados. Por el gozo que fue puesto delante de él soportó la cruz, menospreciando el oprobio. En presencia de sus discípulos oró: "Yo te he glorificado en la tierra; he acabado la obra que me diste que hiciese. Ahora pues, Padre, glorifícame tú" (Juan 17:4-5). El profeta declaró que el mesías vería la tribulación de su alma y estaría satisfecho.

En todas sus enseñanzas, Jesús no deja cuadros inconclusos. Si él pinta un sembrador que siembra sus semillas, pinta también la cosecha que crece dorada al sol. Si dibuja el trigo y la cizaña, también dibuja el granero y el fuego. Si esboza a los hombres que trabajan en una viña, los esboza en la noche, recibiendo cada uno su salario. Cuando describe al rico en el banquete, tiene cuidado de describir qué merece y recibe este rico. No deja de informarnos cuál es el destino final de los hombres a quienes se les confiaron los talentos. Él da a los hombres las razones para hacer bien las cosas, y les asegura que recibirán elogios o condenación, según sus obras.

Cuando Pedro le preguntó a Jesús qué iba a recibir como recompensa por los sacrificios que había hecho, Jesús no lo reprendió, sino que le aseguró que "De cierto os digo que no hay ninguno que haya dejado casa, o hermanos, o hermanas, o padre, o madre, o mujer, o hijos, o tierras, por causa de mí y del evangelio, que no reciba cien veces más ahora en este tiempo; casas, hermanos, hermanas, madres, hijos, y tierras, con persecuciones; y en el siglo venidero la vida eterna". ¿Qué significa esto, sino que los ministros de Cristo serán recompensados ricamente por sus labores? Ellos recibirán lo mejor en este mundo y vendrán cosas todavía mejores en el mundo venidero. Lo prometido se ha cumplido hermosamente en cada generación.

Un ministro que hace su trabajo con sus ojos enfocados solamente en la gloria de Dios, dejando atrás todo lo demás, recibe lo mejor que este mundo puede ofrecer. Una multitud de personas llegan a ser sus parientes y amigos. Padres y madres están tan orgullosos de él como si fuera un miembro de su familia. Los ancianos lo miran con amor, como si fuera un hijo. Los jóvenes lo ven con reverencia, como a un padre. Los hombres de su misma edad lo aman como a un hermano. Un gran círculo siente que tienen en él un camarada y un amigo. Disfruta libre acceso a muchos hogares. Las casas y las tierras le pertenecen, no por un título legal, sino por una prescripción espiritual. Aprecio, gratitud, afecto, estas cosas son el oro, el incienso y la mirra que constantemente se derraman delante de él. Si el amor es lo mejor del mundo, entonces el pastor fiel obtiene más del tesoro más rico de la tierra que cualquier otro hombre.

Sin duda alguna, no será amado por todos. Jesús tuvo cuidado al declarar que todas las cosas buenas vendrían acompañadas de tribulaciones. Estas son también parte de la recompensa del ministro. Los fariseos, los saduceos y los escribas siempre estarán en su contra. Los hombres que no son malos de corazón sino de oído insulso lo malinterpretarán y tergiversarán. El ocioso inventará chismes sobre él y el ingrato le devolverá mal por bien. Aquellos que están poseídos por demonios lo atacarán abiertamente. Todo esto es de esperar. ¿Es el discípulo más que su maestro y el siervo está por encima de su amo? No lo consideres extraño, joven, cuando esta experiencia tan fuerte te rebase. No caigas en pánico porque todos los hombres no hablan bien de ti. No llores ni solloces cuando te encuentras con oposición en tu congregación. Cumple con tu deber y provocarás problemas, pero nunca te quedarás sin corazones fieles que te amen. Cuando entres en el Getsemaní, habrá amigos que se quedarán orando en la puerta, y si mueres en la cruz, llevarás consigo al cielo la devoción afectuosa de muchos corazones leales. No hay nada más hermoso en esta tierra que el amor de una congregación por un pastor fiel.

Hay ministros que están vivos actualmente, quienes sienten que valdría la pena esforzarse durante mil años para ganar un amor como el que han recibido. Todas las burlas de los fariseos y las mofas de los principales gobernantes y los sacerdotes quedan olvidadas por el hombre que tiene el afecto de una multitud de amigos. Las críticas miserables a las que está necesariamente sujeto todo hombre en un lugar público no cuentan para nada con el correr de los años. Todas las cosas llenas de odio y punzantes que dijeron los críticos rencorosos son solamente unas pocas burbujas oscuras que se desvanecen, llevadas sobre el seno de una marea de amor. Cuando un pastor llega al final de su carrera, se olvida de todas las pequeñas ráfagas de amargura que han cruzado por su camino de vez en cuando, y dice con el Salmista: "Ciertamente el bien y la misericordia me seguirán todos los días de mi vida" (Salmo 23:6).

Este amor del pastor no solo es hermoso, sino duradero. Sobrevive cuando muchas cosas han perecido. El afecto por un pastor es diferente de la admiración por un predicador. El predicador, si es elocuente, recibe bandas de música y procesiones con antorchas. Se le da un espacio en los periódicos y las multitudes lo aplauden, pero su fama se olvida rápidamente. Cuando sus cuerdas vocales fallan, las multitudes desaparecen, y solo aquí y allá se encuentra un corazón que tenga una sensación de duelo. No sucede así con el pastor. Él vive en los corazones de aquellos con los que ha entablado una amistad. No hay un recuerdo tan longevo como la memoria de la bondad. Los grandes esfuerzos en el púlpito se olvidan rápidamente, los libros famosos abandonan pronto la mente del público.

¿A quién le importa leer un libro de sermones o de teología publicado hace cincuenta años? Autores y oradores viven en la fama de un libro, mientras que los pastores viven en los corazones de aquellos que fueron pastoreados por ellos. La reputación de un hombre por su elocuencia podría vivir mucho tiempo en una comunidad, pero su reputación por la bondad vivirá mucho más tiempo. Cuando uno escucha a los ancianos hablar sobre los ministros de su juventud, escucha comentarios como estos:

"Nunca olvidaré el consuelo que impartió con las palabras que dijo en el funeral de mi madre".

"Con frecuencia pienso en cómo me entregó su corazón en un tiempo en el que ya no quería seguir viviendo".

"Puedo sentir ahora el toque se su mano en mi cabeza cuando era solo un muchacho".

"Me encanta recordar lo bondadoso que era con los pobres y el autosacrificio que demostró en los tiempos de la gran epidemia".

Estos son recuerdos que perduran. Los hijos del trueno tienen lenguas que llenan el mundo por una temporada fugaz con música de plata, pero aquel Jacobo al que la iglesia primitiva recordaba era aquel que fue el primero en entregar su vida por el Maestro; y el Juan que vivió más tiempo en Asia Menor no era el teólogo ni el orador, sino el pastor que se fue en busca de un convertido que se había vuelto un bandolero, rehusándose a cesar sus ruegos inoportunos hasta que hubiera traído a la oveja descarriada de regreso al redil. Cuando Phillips Brooks murió, el mundo perdió un príncipe entre los predicadores, pero en las semanas inmediatamente posteriores a su muerte, no fueron las historias de su elocuencia las que se repetían más frecuentemente a lo largo y ancho de las calles de Boston, sino las historias de su fidelidad pastoral y los ejemplos de su bondad en los hogares de los pobres. ¿Qué es lo que más recordamos de las vidas de nuestros padres? No son las teorías que promovían, los discursos sabios que pronunciaban, los ensayos de erudición que leían, sino más bien su paciencia incansable, su bondad fiel y su afecto discreto por nosotros. Estos son los recuerdos que permanecen en nuestros corazones y, cuando meditamos en ellos, se abren los cielos y los ángeles de Dios descienden.

Es una ambición encomiable desear vivir en los corazones de nuestros semejantes. La manera más segura de cumplir esa ambición es hacer fielmente la labor de un pastor. Muchos de nosotros no podemos ser brillantes, podríamos haberlo sido si Dios lo hubiera ordenado así, pero sí podemos ser fieles. Todos podemos estar tan llenos de una disposición para ayudar, todos podemos hacer que se diga de nosotros lo que se dijo de Bernabé: "Era varón bueno, y lleno del Espíritu Santo y de fe" (Hechos 11:24). Todos podemos merecer que se grabe en nuestra tumba una inscripción sencilla que pueda verse al pie de los Apeninos: "Era un buen hombre y un buen guía".

Además del amor de los seres humanos, el pastor recibe otras satisfacciones aún más sublimes y bendecidas. Tienen la gratificación de ayudar a la gente, la paz mental que llega al final de su trabajo por medio del cual un corazón fue consolado e iluminado, el placer de tomar a los hombres de la mano para sacarlos de los pantanos del abatimiento, y a veces del pozo de la desesperación. A él se le da el gozo de cambiar el tono y el temperamento de un hogar. Puede que disfrute el éxtasis de saber que ha sido un instrumento en las manos de Dios para transformar la vida de una comunidad.

Estas son recompensas de un tipo sutil y etéreo, monedas pagadas en las ventanillas del cielo. Son formas indescriptibles e inexpresables de remuneración. El mundo no las puede dar, ni las puede quitar. La satisfacción de mantener atenta a una congregación por una hora no debe ser despreciada, pero la satisfacción de saber que, por un acto suyo, una vida humana ha sido cambiada para siempre, es una satisfacción infinitamente más preciosa. La gratificación que llega al final de una labor pública que se logró con éxito es dulce, pero es infinitamente más dulce la sensación de haber podido hacer que un hombre vuelva su rostro hacia Dios, por la gracia de Cristo. El poder de la influencia personal, la capacidad de derramar la vida de uno en otra vida es uno de los regalos más ricos del cielo, y este es, en particular, el regalo que es otorgado al pastor. Al acercarse al alma individual, el pastor le comunica a esa alma algo de la esencia de su propio espíritu, y desde ese momento en adelante, ya no vive solo en sí mismo, sino también en otra alma que ha sido transfigurada por él. Dios, en su bondad, le permite encender el fuego en un altar que estaba frío y recrear el mundo para un corazón que había perdido el gozo de vivir.

A través de la paciencia, sabiduría y fidelidad del pastor, los hombres que han vivido sin esperanza y sin Dios en el mundo son vivificados a una nueva vida y comienzan a glorificar a su Padre que está en los cielos. Esta recompensa es más rica que la primera. Es una gran cosa ganar el amor para uno mismo, pero es mucho mayor ganar el amor para Dios. El pastor puede hacer ambas cosas. Los hombres lo amarán como no aman a ningún otro hombre en el mundo, porque él les ha enseñado cómo amar a Dios. Cosas que ojo no vio, ni oído oyó, ni han subido en corazón de hombre son las que Dios ha preparado para aquellos que trabajan para él, y son reveladas por el Espíritu Eterno al corazón del pastor. La paz que sobrepasa todo entendimiento es una rica porción del salario de un pastor.

Pero, si bien el pastor podría recibir todas estas ricas recompensas interiores, ¿acaso no las compra al precio de la eficiencia en el púlpito? Si bien es cierto que está ganando el afecto de las diversas personas con las que ha entablado amistad individualmente, ¿acaso no es probable que pierda el control de la multitud? Muchos ministros jóvenes entran en su primera congregación y sienten que cada hora dedicada a la labor pastoral es tiempo perdido. Realiza dicha labor a regañadientes y presupone que lo hace a expensas del poder del púlpito. Esta presuposición está equivocada. Ningún hombre puede estudiar todo el tiempo. Unas pocas horas al día con libros agotará al cerebro más vigoroso. Uno puede sacar más de los libros en medio día que en un día entero, siempre que se aproveche el otro medio día de una manera que agudice su apetito por nuevas lecturas.

Aún más, en el servicio pastoral, un ministro trabaja en su sermón. La preparación de un sermón tiene dos etapas: trabajar en el predicador y trabajar en el mensaje. La primera es tan importante como la segunda. Si el predicador no está preparado, el mensaje será débil. Mientras más a fondo se cultive el corazón del predicador, mucho más fina será la textura y el sabor del sermón. No existe una preparación del predicador que se compare con aquella que obtiene al relacionarse con las personas. Un ministro en verdad se prepara para predicar cuando se involucra en las labores ministeriales, tanto como cuando está en su estudio con los diccionarios, las enciclopedias y los comentarios abiertos ante él.

Pero ¿no es el contacto cercano con las personas desilusionante y, por tanto, perjudicial para el entusiasmo del predicador? ¿Acaso la distancia no le presta un encanto a la vista, y el conocimiento más íntimo de la mezquindad y la miseria de los hombres no podría enfriar el celo de un orador e introducir una nota pesimista en su mensaje? En este caso, ¿no es deseable que tenga solo un poco de conocimiento, puesto que un conocimiento más extenso sería un tanto peligroso? Estas presuposiciones son incorrectas. Es cuando tocamos a los hombres con las yemas de nuestros dedos que tenemos aversión a ellos. Es cuando los conocemos solo un poco que somos más duros en nuestros juicios. Cuando los conocemos mejor, descubrimos muchas cosas buenas que perdimos de vista en un principio. Cuando entendemos todo lo que han sufrido, hacemos concesiones por sus defectos y nuestro corazón crece en compasión en lugar de condenación. ¿Por qué, además, un ministro debería distanciarse por las enfermedades morales de los hombres? ¿Por qué debería irritarle su ignorancia o sentir repugnancia por sus debilidades o enfurecerse por sus prejuicios o amargarse por sus vicios? Si la humanidad estuviera moralmente sana, entonces no habría necesidad de un médico. Si los hombres fueran lo que deberían ser, no existiría un lugar para los pastores. Es debido a que los hombres se encuentran en un estado de ruinas que Cristo ha enviado a sus mensajeros por todo el mundo. Si un ministro se vuelve cada vez más cínico, debería soltar su pluma para asociarse más estrechamente con la gente. La cura para las estimaciones pesimistas de la naturaleza humana no es el distanciamiento, sino el contacto más cercano. El creyente más entusiasta en la naturaleza humana que ha tenido el mundo fue el hombre que más se acercó a los publicanos y pecadores, y que conocía lo más profundo del corazón de los hombres.

Pero ¿se puede ser un pensador y un trabajador, un hombre de pensamiento y un hombre de acción? ¿Puede un ministro ser práctico y retener la inspiración divina? ¿Puede interesarse en los detalles mundanos y, al mismo tiempo, remontarse a los cielos? ¿Acaso la atención a los asuntos congregacionales no corta las alas de la imaginación y paraliza los poderes superiores del alma? ¿Puede un hombre hablar amorosamente del cielo si tiene sus dos pies plantados en la tierra? La respuesta es: por supuesto que puede. Anteo no tenía ninguna posibilidad de vencer a Hércules, salvo cuando sus pies tocaran la tierra, y ningún predicador puede lidiar eficazmente con las fuerzas hercúleas de este mundo, a menos que permanezca con los pies bien puestos en el plano en el que viven los mortales. El más grande de todos los poetas, Shakespeare, tenía una mente práctica y enfocada en los hechos. Podía interesarse en los asuntos triviales de la pequeña Stratford, así como en los asuntos poéticos del escenario londinense. Su mente era lo suficientemente amplia como para contemplar las trágicas experiencias de los héroes y las heroínas de la historia humana, así como el trabajo común y los papeles de hombres oscuros de la vida en la aldea inglesa. Fue debido a que miró con tanta compasión la vida sencilla y monótona que lo rodeaba que pudo crear personajes que serán la alegría del mundo para siempre.

Alguien podría preguntar si es sabio que un ministro que desea llegar a ser un escritor dedique tanto tiempo a los deberes pastorales ordinarios. ¿Por qué no? Realizar la labor del pastor no hace que todo hombre esté preparado para ser escritor, puesto que Dios en su misericordia no ha ordenado que cada ministro escriba un libro. Pero si un ministro es enviado a este mundo para escribir un libro, su labor pastoral solo incrementará su talento. Ningún hombre tiene el derecho de publicar un libro, a menos que haya aprendido algo que vale la pena que el mundo lo sepa. ¿Cómo puede poseer un conocimiento fresco y revitalizante, a menos que conozca el interior de los hombres?

Los libros que están compuestos de libros son ordinarios, insulsos e inútiles. Los mejores libros nacen en el cerebro de los hombres que han establecido un contacto original con el mundo. La historia cristiana deja en claro que la labor pastoral no destruye su instinto ni su capacidad para escribir. El más voluminoso de todos los escritores puritanos fue Richard Baxter, y era el mismo príncipe de todos los pastores del siglo XVII. Sus mejores libros fueron escritos durante los años en que su labor pastoral era más fuerte. Pocos libros escritos en el siglo XIX ejercieron una influencia más extensa que *El Año Cristiano* de John Keble, y esta obra fue escrita por un pastor aledaño que estaba inmerso en los cuidados pastorales. George Herbert compuso sus mejores poemas mientras visitaba a los enfermos y a los pobres. Charles Kingsley escribió algunos de sus mejores volúmenes cuando su labor pastoral era tan exigente que era necesario que se levantara a las cuatro o cinco de la madrugada para encontrar la oportunidad de utilizar su pluma. John Watson, quien cautivó al Viejo y al Nuevo Mundo por el humor y el patetismo de sus escritos, era uno de los más laboriosos pastores del siglo XIX.

El joven ministro que, por alimentar sus ambiciones literarias, descuida su labor pastoral y se encierra en su biblioteca "dedicado por completo a la cercanía y la superación de su mente", probablemente nunca escribirá un libro que el mundo quiera leer. Si un ministro busca primero el Reino de Dios, y cumple con todas sus obligaciones con su gente, día a día, entonces cualquier libro que el Señor así lo desee será agregado a ese hombre. La labor pastoral jamás apaga la pluma que Dios desea utilizar. Fue el pastor que trabajó duramente quien llevó en su corazón el cuidado de todas las iglesias y que advirtió a cada miembro de la iglesia en Éfeso, día y noche, con lágrimas, al que se le permitió escribir la cuarta parte del Nuevo Testamento.

Pero supongamos que uno tiene una naturaleza asocial y considera que la labor pastoral es una carga, ¿debería mimarse a sí mismo y dejar que los corderos y las ovejas sufran? No. Si el ministro carece de dones sociales, que cultive el lado social de su naturaleza con más asiduidad. Si un hombre tiene un hombro más alto que el otro, no debe seguir creciendo con ese mismo desequilibrio, sino que debería realizar ejercicios sistemáticos para elevar el hombro que está a un nivel inferior. Si un hombre es tímido y torpe para la conversación, que converse con mayor frecuencia. Si le gustan los estudios más que los hombres, como lo confesó Nathaniel Burton, que cultive más y más a los hombres. Ningún predicador efectivo puede ser un ermitaño. Cuando un predicador vive una vida aislada, la nota de la soledad se hace evidente en sus sermones. Un ministerio asocial debe nacer de nuevo. ¿Para qué predicar el nuevo nacimiento si usted no cree que esa experiencia sea posible para sí mismo? ¿Para qué elogiar el privilegio de ser un nuevo hombre en Cristo, si persiste en quedarse con el viejo hombre, imposibilitando que Dios obre en usted cualquier obra poderosa a causa de su incredulidad?

Pero ¿puede algún hombre ser un buen predicador y un buen pastor al mismo tiempo? ¿Acaso no mata un don al otro? ¿El desarrollo de una capacidad no causa la atrofia de la otra? Hay ministros que miran con ojos celosos sus instintos pastorales; temen que, si permiten que crezcan, paralizarán su lengua para predicar. Un ministro a veces se abstiene de ser llamado un "buen pastor", porque teme que ese cumplido lo denigre como predicador y lo comprometa ante los ojos del público. Tales hombres están engañados. A menos que la congregación sea demasiado grande, un ministro puede ser bueno tanto como pastor como predicador. Cuanto mejor sea como pastor, más efectivo será como predicador, así como en todas las demás áreas. Es debido a que los hombres entran cojeando y gateando a la labor pastoral que con frecuencia tropiezan y caen en el púlpito. Debido a que abandonan a la gente durante la semana, Dios los abandona el domingo. Un hombre no puede ser un predicador ideal a menos que tenga un corazón de pastor.

Esta es la tercera recompensa que les llega a los pastores: un aumento del poder del púlpito. No se asegura que todo hombre que demuestra ser un fiel pastor se convertirá en un famoso orador en el púlpito. Los oradores del púlpito son pocos, posiblemente porque no son esenciales para el progreso de la iglesia y tener demasiados corrompería al mundo. Todo lo que se ha dicho aquí es que la labor pastoral no apaga el instinto de predicar, y que cada hombre terminará siendo un mejor predicador a causa de la obra pastoral que realiza, siempre y cuando este trabajo se mantenga dentro de los límites apropiados. Puede ser provechoso observar algunos de los muchos servicios que presta la labor pastoral al predicador. Si algunos de ustedes tienen grandes ambiciones de conquistar comunidades como los hijos del trueno, les ayudará a escapar del pecado de realizar la labor pastoral con un corazón hosco recordar lo que es importante y cuáles son las contribuciones constantes que la labor pastoral brindan a sus sermones. Nunca deben hacer el trabajo pastoral de mala gana o por necesidad, porque Dios ama al pastor alegre, y la gente también. Baxter llamó al trabajo pastoral "un empleo dulce y aceptable". Las labores de un pastor eran para él "no cargas, sino misericordias y deleites". No es de extrañar que la obra de Dios haya prosperado en sus manos.

Estas son algunas de las cosas que el trabajo pastoral hace por el predicador. Le suministra el material para sus sermones. Un hombre que habla todas las semanas a las mismas personas, año tras año, necesita una enorme cantidad de material que puede sacarse de la parroquia. El maná cae todos los días, y cae junto a la puerta del ministro. Siempre se presentan nuevas evidencias de la malignidad del pecado. Todos los días hay nuevas pruebas disponibles de la presencia y la guía de Dios. La mejor defensa de la religión cristiana no puede sacarse de los libros, sino que debe enmarcarse a partir del material provisto por la gente. El Mar de Galilea está en cada congregación y Jesús camina junto a la orilla, conversa con los hombres y los ayuda, al igual que en los días de antaño. El ministro debe estar allí y escuchar lo que el Señor está diciendo en las experiencias de la gente. Es ahí donde uno entra en las cosas profundas de la vida.

Existen dos tipos de profundidades: las profundidades de los libros y las cotidianas. ¿Qué es la materia? ¿Cuál es la relación de la materia con el espíritu? ¿Cuál es el origen del mal? ¿Cómo puede ser libre la voluntad humana? ¿Cuál es una definición sostenible de la inspiración? Estas son las profundidades de los libros, pero las de la vida cotidiana son más profundas. Amor y odio, esperanza y temor, fe y duda, pecado y deber, perdón y remordimiento, depresión y aspiración; el hombre que desea predicar con un poder conmovedor debe entrar en todas estas cosas. Es asombroso cuántas cosas interesantes se dicen todos los días en cada parroquia, y el predicador debe oír la mayor cantidad posible de ellas: cosas originales dichas por niños pequeños y dichos sabios de hombres ancianos y mujeres santas. Hazlitt dice: "Usted escuchará más cosas buenas en un día sentado en la parte superior de un carruaje que viene y va de Oxford, que en un año de todos los residentes de ese erudito seminario". Eso, por supuesto, es una exageración, pero no hay duda de que se escuchan cosas buenas en la parte superior de un carruaje.

Es en su congregación donde el predicador obtiene sus ilustraciones más reveladoras. Es apropiado, en ocasiones, importar ilustraciones tal como importamos cuadros, diamantes y muchos tipos de alimentos, pero las mejores ilustraciones del predicador son aquellas que se encuentran a su puerta. Jesús de Nazaret nunca salió de la pequeña Palestina para buscar símbolos. Era la semilla en las manos del agricultor, la flor salvaje que florecía a sus pies, la vieja red que yacía en la orilla, las experiencias de los hombres involucrados en sus ocupaciones cotidianas las que le proporcionaron imágenes por medio de las cuales hacía vívidas las realidades del mundo espiritual. A cada ministro le llegan momentos en que siente que todo su material se ha agotado. Ha dicho ya todo lo que le importaba decir, ha predicado todo lo que sabe. La olla se ha desnatado tantas veces que ya no se levanta más crema. El árbol ha sido sacudido con tanta frecuencia que ya no cae más fruta.

Cada vez que llegan estos tiempos estériles, que el ministro cierre su estudio y salga a realizar la labor de pastor. Que camine en medio de la parroquia para observar lo que está pasando. Que converse con las personas que llevan las cargas en el calor del día. A lo mejor encontrará a un hombre de negocios que ha llegado casi al borde de la desesperación por algún revés repentino en su fortuna, o alguna mujer cuyo lamento por un hijo que murió la está llevando al ateísmo, o algún joven que está a punto de encaminarse en un sendero que lleva hacia la muerte, o alguna muchacha que está confundida en sus primeros esfuerzos por vivir una vida cristiana, y cuando el pastor regrese a su casa estará en posesión de un mensaje. Cuando un predicador se queda sin nada qué decir, es porque su corazón está vacío, y lo que debe hacer es ir al océano de la necesidad humana para volverlo a llenar.

Un predicador siempre tiene algo que decir si realmente conoce a su gente. Es en la labor pastoral que el ministro llega a conocer la naturaleza humana. Su congregación es el alma humana editada hasta la fecha. No es suficiente saber qué es lo que el mundo necesita, uno debe saber qué es lo que desea. Los deseos y las necesidades no son la misma cosa, y el predicador debe conocer ambos. No es suficiente conocer las cosas buenas que se dicen en la parroquia, uno debe saber también algunas de las cosas necias, los vicios tanto como las virtudes, los errores tanto como las verdades. Debe comprender claramente las debilidades tanto como las fortalezas de la gente. Es solamente cuando el predicador posee este conocimiento que puede predicar con un efecto mayor. Ningún pistolero tiene probabilidades de dar en el blanco si dispara en la oscuridad.

¿Cómo puede un predicador apuntar un sermón si no sabe dónde está la gente? Es tan importante que un ministro conozca a su congregación como lo es que conozca su Biblia. ¿Cómo puede conocer a su congregación si no se reúne con las personas, una por una? Walter Scott tenía la práctica de siempre conversar con cada hombre con el que casualmente se encontraba. Le encantaba hablar con sus sirvientes y con los sirvientes de sus amigos; jardineros, cocheros, criados, todo tipo de hombres eran interesantes para él. Un sirviente suyo declaró una vez que: "Sir Walter habla con cada hombre como si tuviera con él un parentesco de sangre". Con toda razón Scott llegó a ser un mago que cautivó los corazones de millones de personas.

Al acercarse al corazón humano, entendió su latido; y cuando aparecieron las novelas de Waverley, los hombres de clases altas y bajas sintieron en ellos el latido de un corazón similar al suyo. El ministro que desea ser un predicador eficiente debe hablar con todos los hombres como si tuviera un parentesco de sangre con cada uno. Se debe aplicar la verdad, pero ¿cómo se la puede aplicar en la oscuridad? Se debe usar el conocimiento, pero ¿cómo se lo puede usar sabiamente, a menos que uno conozca a la gente que lo necesita? Todo depende del punto de contacto, y esto se establece en la labor pastoral. Matthew Arnold solía llamar a Shelley: "un ángel bello e inefectivo que bate en el vacío sus alas luminosas en vano". Esa es una descripción correcta de más de uno que aspira a ser predicador. Puede que tenga bellos sentimientos, pero su mensaje es ineficaz. Habla con la lengua de un ángel, pero bate en vano sus alas de predicación en la atmósfera de la iglesia. La causa de la tragedia es su falta de contacto con el mundo. No es un pastor familiarizado con las costumbres de las ovejas.

Incluso la forma del sermón puede mejorarse constantemente por la fidelidad en el servicio pastoral. En la predicación, mucho depende del vocabulario del predicador. Debe estar compuesto de palabras que la gente conozca. Las palabras de la tienda, de la calle y del hogar son las vasijas de barro en las que se debe derramar el tesoro celestial. Los hombres nunca entenderán el evangelio, a menos que se les predique en su idioma natal. La tentación del ministro, si es un amante de los libros, es utilizar las palabras de los eruditos en lugar de las palabras de la gente. A menos que se cuide, utilizará los términos del griego, del latín, del alemán o del francés, cuando una sencilla palabra en inglés lograría su cometido de una mejor manera. Cada palabra opaca le resta poder al predicador.

El vocabulario de un predicador debe estar sujeto a la influencia que se perfecciona en la conversación común. Es en la espuma del lenguaje cotidiano que se debe lavar el almidón de las escuelas del estilo del predicador. El estilo tiene la tendencia a endurecerse, y las oraciones, a menos que se las revise cuidadosamente, suelen volverse elaboradas y complejas. Si el predicador posee un fino gusto literario, se verá tentado a dejarse enredar en dichos minuciosos, en alusiones delicadas, en fraseos exquisitos y complicados, y en todas aquellas tonalidades de luz y sombra que son el deleite de una mente excepcional, fastidiosa y altamente cultivada. Antes de darse cuenta, su estilo será una barrera entre la gente y su verdad. Las ovejas verán aquellas oraciones maravillosas y bellas, pero no recibirán alimento de ellas. Todo predicador necesita el castigo disciplinario de la conversación con la gente común. En la conversación, uno está obligado a ser sensible. No puede fingir un tono ridículo y artificial. Si así lo hiciera, los otros se reirían de él y probablemente él se reiría de sí mismo. Si ciertos predicadores pudieran oír los tonos que usan en sus púlpitos, se divertirían en demasía.

Cuando conversamos, nuestras palabras son sencillas y cortas, nuestras oraciones son francas y directas, nuestro estilo es flexible y, por tanto, la conversación con personas sencillas es una de las mejores escuelas para cultivar un estilo efectivo para el púlpito. La perdición del púlpito son las oraciones complejas, el ordenamiento artificial de cláusulas y un estilo tan elaborado que la atención se centra en tratar de extraer sus ideas. Todas estas cosas se queman en el fuego de la conversación.

Un sermón es defectuoso si suena como un libro. Es mejor cuando se parece más a una charla amistosa y no estudiada. El intercambio diario con todo tipo de personas le ayudará más a un ministro para mantener fuera de su púlpito los zancos que cualquier otra cosa. Samuel Johnson, a la edad de 35 años, escribió la vida de su amigo, Savage, en un estilo que es abominable por consenso universal. En ese tiempo, Johnson había vivido en su totalidad con libros y su estilo era atrozmente pesado y artificial. Cuando tenía 70 años, escribió *Vidas de los poetas ingleses más eminentes* en un estilo superior, de manera inconmensurable, al que tenía 35 años antes, y la mejora se debió en gran parte al hecho de que, a medida que Johnson se volvía más anciano, se entregó cada vez más a la conversación con sus amigos. En la conversación, gran parte de su anterior pompa y monotonía quedó eliminada. El objetivo del predicador es mover a los hombres, y no puede conmoverlos con un estilo que se asemeja a unas pinzas, largas, rígidas y duras.

Para ser efectivo, el estilo debe ser flexible y blando, claro y directo. En una palabra, debe ser conversacional. Uno no desea que en el púlpito exista una familiaridad de salón, pero sí desea una simplicidad coloquial y facilidad. También quiere franqueza. Las oraciones deben llegar de manera directa al corazón individual. Wordsworth dice que Dryden compuso sus poesías sin haber puesto sus ojos en el objeto. Wordsworth siempre mantuvo sus ojos en el objeto. Esa es una razón porque no se lee a Dryden, pero Wordsworth apenas está siendo reconocido.

Los predicadores frecuentemente predican sin poner sus ojos en la gente. Esto es evidente en su lenguaje. Ningún hombre que tiene sus ojos puestos en la gente podría seguir utilizando el estilo que se encuentra en muchos púlpitos. Walter Bagehot les manda una indirecta a los ministros cuando dice de Coleridge: "Como un divino cristiano no consideró a las personas. Siguió adelante, sin saber lo que estaba pasando en las mentes de los demás". Este es un defecto que podría remediarse al conversar en los hogares de la gente. El intercambio personal otorga franqueza al pensamiento y claridad al habla. El estilo siempre se particulariza en la conversación y el lenguaje se ajusta perfectamente a la mente individual. El predicador que está dispuesto a permitir que su gente converse con él durante la semana sabrá cómo hablarles mejor el domingo.

Todavía hay cosas más importantes que se pueden obtener de las personas: originalidad, viveza, fuego y coherencia con la realidad. Un predicador no es nada si no es interesante. Un sermón poco interesante es aburrido. No es suficiente, como todos imaginan, que un sermón sea verdadero. Debe ser verdadero, pero también interesante. Qué importa si es verdadero o no si la gente no lo escucha, a menos que sea interesante. Un ministro que no puede predicar sermones interesantes nunca fue destinado para el púlpito. La primera obligación del predicador es captar la atención, y si no puede cautivarla, bien podría irse a su casa. Ahora, para ser interesante, un sermón debe ser original, vívido y sincero. ¿Cómo puede un predicador ser original, si tiene que lidiar con temas que se han desgastado con el manejo de dos mil años?

Todas las doctrinas de la fe cristiana son bien conocidas y cada precepto cristiano es familiar para todos. Entonces, ¿cómo puede ser original un sermón? La originalidad yace en acento con que se predica un sermón, en el fuego en que se fusionan los elementos de la prédica, en la aplicación con la que el predicador hace que la verdad llegue a las personas de una congregación en particular. Para que un hombre predique con originalidad, primero debe tener conocimiento de primera mano de todas las cosas de las que habla. Debe mirar el mundo con sus propios ojos. Debe conocer a los hombres de primera mano. Debe lidiar con el pecado en su propio corazón y en los corazones de las personas. Debe conocer las alegrías y las tristezas, las tentaciones y los triunfos de la vida cristiana.

Todo hombre que bebe de las fuentes de la vida del mundo y no depende de las cisternas que llamamos libros es original. El hombre que se mezcla con los hombres, que juega con los niños y que sabe lo que está pasando en su parroquia tendrá una vitalidad y frescura en su discurso que convencerá a las personas para que escuchen. Sus pensamientos tendrán una agudeza peculiar, su mensaje será vívido. Uno no puede hacer un sermón vívido al sacar del diccionario palabras vistosas y pintorescas. Un sermón vívido sale de un corazón que siente. Un corazón que tiene fuego puede hacer que las palabras aburridas sean incandescentes. ¿Cómo puede un ministro criticar duramente la crueldad y la injusticia, a menos que las haya visto cara a cara en su propia parroquia? ¿Cómo puede aborrecer el tráfico de licor, a menos que haya trabajado con hombre a los que la cantina finalmente haya arrastrado al infierno?

Es la experiencia de primera mano con el pecado la que les permite a los hombres predicar sobre él, y es la experiencia de primera mano con Cristo la que hace posible contar esa historia tan antigua con frases que se graban con fuego en el corazón.

Los hombres que se mantienen distanciados de la vida cotidiana y del sufrimiento del mundo puedan fingir la emoción e imitar la pasión, pero sus sermones carecen de la nota de la realidad, por lo que su congregación permanece impasible. Para ser un predicador, un hombre debe tener una naturaleza de experiencia. Debe vivir por sí mismo las alegrías y las tristezas por las que pasa su gente. Debe pensar con ellos, sentir con ellos, sufrir con ellos, regocijarse con ellos; solo de esta manera podrá el evangelio salir con poder de su boca.

"Prediqué lo que sentía", decía John Bunyan. Su experiencia era la sustancia de sus sermones. Esto les dio su vida y poder. Ningún hombre predica nada en realidad, sino de su experiencia, la cual se ha encarnado en él y, por tanto, es imposible que algún hombre sea predicador de primer orden, a menos que haya cargado con las enfermedades de otros y haya permitido que la tragedia de sus vidas reaccione en su propio corazón. Un pastor debe conocer a sus ovejas, y entonces sus ovejas lo conocerán.

La labor pastoral libera a un ministro de muchos errores y engaños. Robertson solía decir: "Es la visitación de los pobres la que, más que cualquier otra cosa, pone a un hombre en contacto con lo presente y lo real, y destruye los sueños fantasiosos". La vida de un ministro lo expone a muchas influencias distorsionadoras, por lo que necesita un contacto cercano con el mundo de los hombres y mujeres trabajadores, para mantenerse cuerdo y dulce.

Hoy en día hay dos clases de lecturas que son peculiarmente engañosas: el periódico y la revista teológica. El primero se elabora con prisa y contiene una masa de materiales recopilados por jóvenes cuyo salario depende de su capacidad de crear una historia interesante. El periódico promedio ofrece una representación del mundo que es estridente, exagerada, fuera de proporción y en una perspectiva falsa. El mundo no es ni la mitad de malo ni desesperanzado como lo hace parecer el periódico promedio, y el ministro debe corregir la imagen que deja el periódico mediante un íntimo contacto con su congregación.

Algunos ministros son escandalosamente pesimistas en su predicación. En el periódico uno ve principalmente lo malo, pero en la parroquia uno ve lo bueno tanto como lo malo, tanto de lo bueno que uno puede dar gracias a Dios y cobrar ánimo. Las revistas teológicas y los libros de crítica bíblica tratan con un grupo de problemas de gran interés para los círculos limitados. El ministro que dedica demasiado tiempo a estos problemas probablemente pondrá un énfasis exagerado en su importancia. La última teoría de un audaz profesor alemán, la última especulación de un sabio holandés o francés se cierne sobre la visión del ministro, y este arde, aun si fuera conservador, con un celo santo por demoler estos nuevos enemigos de la fe; o, si fuera radical, por comunicar esta nueva verdad a su gente.

Cuando el ministro viene de la última revista teológica, todos brillan con entusiasmo por alguna nueva interpretación, o con indignación por alguna especulación al azar, sería mejor que camine por su parroquia y se fije en cuán indiferentes son los hombres a estas tormentas teológicas. Las cosas necias que publican estas revistas nunca llegarán a su gente, a menos que él se las cuente.

El colapso predicho de las doctrinas consagradas en el tiempo nunca les causará dolor si él se mantiene quieto. Las teorías plausibles que ahora son dominantes, pero que serán anticuadas dentro de diez años, no perturbarán las almas de los fieles si él no les lanza rayos desde el púlpito. Cuando uno ve a un ministro demoler a un crítico extranjero del que su gente nunca ha oído y demostrar la falsedad de una teoría que las personas nunca han soñado, y que laboriosamente lucha por aclarar en un trascurso de seis sermones, con piedras de tropiezo con que su pueblo nunca ha tropezado, entonces tiene una ilustración de cuál necio puede ser un buen hombre que lee las revistas más de lo que lee las vidas de su gente. Las revistas y los libros tienen su lugar, pero algunos ministros se han echado a perder por ellos. Prestan más atención a unos pocos ratones de biblioteca en Europa de lo que atienden a las personas que Dios les ha confiado en su custodia.

Un ministro debe cultivar su congregación para extender el alcance de su mensaje dominical. El trabajo del predicador es uno de persuasión. No puede forzar ni manipular, solo puede atraer y cortejar. El éxito depende no solo de lo atractivo de su mensaje, sino también de la actitud de su audiencia. Si sus oyentes son fríos, desconfiados o críticos, probablemente no podrá persuadirlos, sin importar lo que diga. Si tienen una disposición amable hacia él, la puerta de su corazón está abierta y su verdad puede entrar fácilmente.

Un predicador no pierde tiempo cuando se relaciona con los hombres de tal manera que les brinde confianza en él y los guíe a sentir que tiene un corazón varonil y fraternal. Desarrollar en los hombres una disposición receptiva, crear en ellos una actitud amistosa y hospitalaria es una labor que realiza el ministro como pastor; prepararlos para el mensaje del ministro como profeta. El trabajo del profeta es transmitir, comunicar un mensaje a otros. Dos cosas son de suprema importancia en la transmisión de una verdad de un hombre a otro.

La primera es que el predicador comprende la verdad por sí mismo, y la segunda es que el oyente también la comprende. Para asegurarse de que el oyente comprenda la verdad, es necesario que el predicador conozca la posición exacta de su audiencia.

No se entregan de forma segura los tesoros a los hombres en la oscuridad. La verdad que comunica el ministro no tiene que detenerse con el hombre que la recibe, sino que este debe entregarla a otros. Un predicador jamás alcanza su mayor éxito, a menos que su gente repita sus sermones. Cuando vuelven a predicar su mensaje, su poder se incrementa por cien. Ahora, las personas repetirán el sermón solo si les gusta el hombre que lo predica. No tienden a amar a un hombre que no los ama y, si por su distanciamiento el ministro demuestra que no le importa la gente, ellos no tendrán el celo para transmitir sus sermones. Los enamorados se deleitan en repetir las palabras de su ser amado. Una hermosa característica de la adoración judía era que el sumo sacerdote debía usar en su pectoral cuatro filas de piedras preciosas, tres piedras en cada fila, y cada joya representaba a una de las tribus de Israel. De esta manera, todo el pueblo se mantenía frente al sumo sacerdote en sus ministraciones en público. El predicador ideal nunca sube al púlpito sin llevar consigo a todo su pueblo en su corazón. Un santo ruso escribió de forma sugestiva sobre la práctica de la presencia de Dios. Se podría escribir un segundo volumen sobre la práctica de la presencia de la gente. Si no ama hablar con sus hermanos a los que ha visto, no está capacitado para hablar del Dios al que no ha visto.

La recompensa suprema del pastor es un incremento en su estatura espiritual. El carácter íntegro es el mayor de todos los tesoros, y este carácter se desarrolla por medio de la acción. Son las cosas que uno hace las que determinan lo que es. "El carácter se forma en la corriente del mundo". El carácter íntegro de un ministro se forma en la vida congregacional. Son las cosas que hace, antes que los libros que lea, las que moldean su temperamento y fabrican su disposición. Es su trabajo como pastor, antes que su mensaje como profeta, el que más tiene que ver con el enriquecimiento de su corazón y el refinamiento de su espíritu. La recompensa del pastor es que se vuelve cada vez más como el Buen Pastor, es transformado a la misma imagen de gloria en gloria, como por el Espíritu del Señor. El ministro que cuida, guarda y guía a los hombres, que los sana, los rescata y los alimenta, desarrolla por medio de su trabajo las virtudes y la gracia del mismo Salvador. ¿Qué santo es más bello en su vejez que el hombre que ha realizado fielmente la labor de un pastor por cuarenta o cincuenta años? Una estrella difiere de otra en gloria, y del mismo modo difieren unos de otros los tipos de santidad. Pero en lo que tiene que ver con la ternura de corazón, la belleza del alma y la semejanza al espíritu de Cristo, ¿qué otro personaje conocido entre los hombres sobrepasa las virtudes del santo pastor?

La vida del pastor cultiva una sensibilidad en todos los nervios del sentimiento. Las simpatías se amplían, el corazón se expande y recibe clases que al principio fueron excluidas. Hay algo en la predicación que tiende a hacer que un hombre sea intolerante. Uno puede ser tan leal a lo que cree que es la verdad, hasta el punto de endurecer su corazón hacia aquellos que no la reciben. Una y otra vez en la historia cristiana se ha presentado el triste espectáculo de un hombre al que realmente se le encomendó un mensaje desde el cielo, pero cuya fiera devoción a la verdad cerró su corazón contra aquellos que no estaban de acuerdo con él. La labor del pastor tiende siempre a ablandar y ensanchar el corazón. Trabajar con los corderos, cuidar de los enfermos, rescatar a los perdidos, alimentar a los hambrientos, todas estas cosas agregan una nueva amplitud a la compasión y le ayuda a uno a entrar más completamente en las vidas de otros.

Un pastor cuya vida ha sido fiel con certeza será genial en sus juicios e indulgente en las concesiones que hace para todas las clases de hombres. El pastor crece en paciencia. Mientras viva, su trabajo hace grandes exigencias en sus poderes de resistencia, pero ellos responden al llamado. La labor de un pastor está llena de interrupciones, aflicciones y decepciones, pero estas cosas prueban su alma y la refinan. El apresuramiento impulsivo de los primeros años abre paso a una intencionalidad tranquila, y la irritabilidad febril de la juventud es reemplazada por la fresca fuerza de la longanimidad. Al trabajar con la naturaleza humana, un hombre obtiene de cierto modo la paciencia de una madre. No se deja intimidar por una veintena de fracasos. No se rinde ante una aparente derrota. Si hace algo 19 veces, no es suficiente; está dispuesto a hacerlo por la vigésima vez.

La gracia de la humildad se riega y se despliega con el esfuerzo del pastor. El ministro como predicador se ve tentado a ser engreído. Si sus sermones son extraordinarios, su nombre sale con frecuencia en los periódicos. Un ministro como pastor no tiene tales tentaciones. Las multitudes no lo aplauden. Sus labores no logran llegar a una copia del periódico. El predicador no suele estar consciente de su fracaso, siempre hay espacio para esperar que alguien en la congregación reciba ayuda permanente. Pero el pastor trabaja con personas individuales, afronta el fracaso una y otra vez. Como guía es rechazado, su consejo es despreciado. Como médico está desconcertado, las enfermedades del alma no ceden. Como salvador está derrotado, no puede traer de regreso a una oveja que está perdida. Siempre hay gozo en su corazón por los logros que alcanza, pero también hay una pesadez a causa de sus fracasos. "Entristecidos, mas siempre gozosos", esta es una descripción adecuada de la vida de un pastor. Siempre está siendo arrojado de regreso a Dios.

Aunque algunos hombres sueñan con un rápido final para los males, mientras que otros confían alegremente en los experimentos de la legislación, el pastor conoce el poder del pecado y se da cuenta de que no existe ayuda para el mundo aparte de Dios. Su experiencia al luchar contra el mal cara a cara lo lleva al polvo. Es más, su trabajo nunca termina. El predicador puede proclamar su sermón y sentir que el trabajo ha terminado. Puede calcular el número de discursos que se espera de él en un año y darse cuenta de cuándo alcanzó dicho número. Para un pastor, el trabajo no tiene límites. Después de hacer mil cosas, puede pensar en otras mil que todavía puede hacer. Después de haber dado lo mejor de sí, siente deseos de confesarse como un siervo inútil. La labor del pastor nunca termina.

El misterio de la iniquidad se vuelve cada vez más misterioso para aquel que trabaja para rescatar a los hombres de sus pecados, y una comprensión cada vez más profunda de su inconmensurable poder arroja al pastor nuevamente sobre Dios en Cristo. La fe adquiere un significado más profundo. Entiende como pocos hombres que es necesario caminar por fe. Aprende, además, por qué Pablo afirma que la esperanza es un casco, porque sabe que sin la esperanza no podría sostener su cabeza en alto en la batalla. Llega a conocer, como muy pocos hombres, la anchura, la longitud, la profundidad y la altura del amor de Cristo. Lee, como muy pocos hombres saben cómo leer, las palabras inmortales de Pablo: El amor "todo lo sufre, todo lo cree, todo lo espera, todo lo soporta" (1 Corintios 13:7).

Hay muchas cosas que un fiel pastor debe soportar, y cuando ha sido crucificado ora con Jesús: "Padre, perdónalos porque no saben lo que hacen". El fiel pastor llega a conocer la comunión de los sufrimientos de Cristo, llegando a ser conforme a su muerte. Uno podría ser un estudiante o un erudito y escribir libros pesados de sabiduría, sin conocer ni una sola vez el significado de Getsemaní.

Uno podría trabajar con ideas brillantes para convertirlas en un discurso dorado y emocionar los corazones de los hombres con una lengua que tiene la magia de un genio, sin nunca entender el significado de la cruz. Pero cuando uno llega a ser un pastor y entrega su vida para pastorear a los hombres, comienza enseguida a ser bautizado con el bautismo con el que Jesús fue bautizado y a beber la copa que Jesús bebió. No es hasta que uno salga de la biblioteca y se agache junto a aquel que ha caído, que está sangrando y medio muerto, que uno se vuelve un varón de dolores experimentado en quebrantos. Si ser semejante a Cristo es el mayor de todos los privilegios, entonces ese privilegio le pertenece con preeminencia al pastor.

Es una recompensa que se ofrece a todos los pastores, sin importar lo grande o pequeño que sea su rebaño. No existe congregación en ninguna parte del mundo que sea tan pequeña u oscura que no proporcione un espacio para el crecimiento de un santo pastor. John Fletcher fue pastor por 25 años en la pequeña aldea de Madeley, y creció allí hasta ser un santo cuyo nombre será fragante por siempre. El brillante erudito de Oxford, John Keble, fue por treinta años el pastor de la pequeña aldea de Hursley, y en esa tranquila villa campestre creció hasta parecerse tanto a Jesús que muchos hombres declararon que era el hombre más santo que habían conocido.

Cuando Dios distribuye sus recompensas, no le pregunta a un ministro cuál es el tamaño de su congregación, sino que simplemente considera el espíritu con el que ha realizado su trabajo. Para cada hombre que pastorea las ovejas de Cristo, el mayor privilegio que se le puede otorgar es que crezca a la semejanza del pastor perfecto. Las parroquias grandes echan a perder a algunos hombres, pero las congregaciones pequeñas echan a perder a otros. Las posiciones elevadas son peligrosas, como también lo son las posiciones que son humildes.

Puede que una iglesia prominente haga que su ministro se vuelva engreído, pero una iglesia oculta podría hacer lo mismo. Un hombre en una parroquia humilde podría volverse muy consciente del sacrificio que está haciendo y habla a menudo de ello. Aquellos que están muy conscientes de su sacrificio y son elocuentes al respecto no son santos que siguen el camino del Señor. Hay hombres en lugares altos que son vanidosos, envidiosos y descontentos, y hay hombres en lugares bajos que tienen el mismo estado mental de infelicidad. Miserable es el ministro que es amargo en su espíritu a causa de su sueño de engrandecimiento que no se ha cumplido, y cuya vida es una constante queja debido a que no se le permite ser el pastor de un rebaño más grande y refinado. Es una consolación para todos los ministros, grandes o pequeños, que sin importar en dónde se encuentren o cuán difícil u oscuro sea su campo, el camino para seguir las pisadas del Buen pastor y para ganar al fin la corona de gloria siempre estará abierto. El fiel pastor de una aldea escribió estas palabras:

> Haz el trabajo más cercano,
> Aunque a ratos sea aburrido,
> Ayudando cuando encontremos
> A los perros más necesitados;
>
> Ve en cada seto
> Marcas de pies de ángel,
> Epopeyas en cada piedrita
> Bajo nuestros pies.